Dagmar Ziegler-Vowinckel Der Bobtail

Dagmar Ziegler-Vowinckel

Der Bobtail

Old English Sheepdog

Verlagsgesellschaft Rudolf Müller
Köln-Braunsfeld

Die Kapitel »Hundekrankheiten«
und »Ernährung« wurden von
Dr. med. vet. Peter Brehm verfaßt.

CIP-Kurztitelaufnahme der Deutschen Bibliothek

Ziegler-Vowinckel, Dagmar

Der Bobtail: Old English Sheepdog
(Die Kap. »Hundekrankheiten« und »Ernährung« wurden von Peter Brehm verfaßt)
1. Aufl.
Köln-Braunsfeld: R. Müller, 1979
(dein hund)

ISBN 3-481-26511-5

ISBN 3-481-26511-5

Verlagsredaktion: Ingeborg Roggenbuck
Umschlaggestaltung: Hans-Dieter Kluth, Erftstadt
Gesamtherstellung: Druckhaus Rudolf Müller, Köln
Printed in Germany

Vorwort

Dieses Buch wurde geschrieben, um allen denen, die sich den Bobtail als Freund und Kameraden ausgesucht haben, zu helfen, ihren Hund gut zu pflegen und zu erziehen. Es ist als Ratgeber gedacht, der Fehler vermeiden helfen soll. Die zahlreichen Nachfragen in der letzten Zeit nach einem Bobtail und einem entsprechenden Buch haben gezeigt, daß unsere Rasse immer mehr in den Blickpunkt des Interesses gerät. Da ich aus Erfahrung weiß, wie schwer es ist, ohne jegliche Anleitung den Bobtail so zu pflegen, daß sein attraktives Äußeres voll zur Geltung kommt, hoffe ich, Ihnen mit meinen Tips über Aufzucht, Haltung, Pflege und Erziehung einen Leitfaden zu geben zum Wohle und Nutzen Ihres Hundes und einem glücklichen, ungetrübten Zusammenleben mit Ihrem neuen Familienmitglied, dem Bobtail.
Nichts würde mich mehr freuen, als wenn ich dies hiermit erreichte.

Rimbach, im August 1979 Dagmar Ziegler-Vowinckel

Inhalt

Unser Bobtail — der Old English Sheepdog

Historisches

Wie schon sein Name — Old English Sheepdog — sagt, ist der Bobtail eine alte englische Rasse. Der O. E. S. ist durch seine überreiche, zottige Behaarung und seinen bärenhaft wiegenden Paßgang eine auffällige Erscheinung. Wie alle Hunde, die ein so urtümliches Aussehen haben, handelt es sich bei ihm um eine alte Arbeitsrasse, an der die Züchter, seit er auf Ausstellungen gezeigt wird, manche Einzelheit verschönt haben. Immerhin ist bei ihm der ursprüngliche Typus besser erhalten geblieben als bei manch anderem Hirtenhund.

Über die Herkunft des Bobtails ist sehr wenig bekannt. Alle maßgebenden Autoren sprechen nur Vermutungen aus. Ähnlichkeiten mit dem

Hier bin ich zu Hause!

russischen Oftscharka sowie Puli, Komondor, Briard sowie dem altdeutschen Schafpudel sind vorhanden, doch da diese alle Hirtenhunde sind, liegt die Vermutung nahe, daß die gleiche Beschäftigung den Typ geprägt hat.

Schon auf Bildern aus dem 15. Jahrhundert finden wir Hunde des früheren Typs, so auch bei Dürer, van Eyck, Gainsborough, datiert 1771, und dem Earl of Buccleuch. Ebenso die Gräfin van Hagen, die das Book of Husbandry anführt, in dem Conrad Heresbach 1586 diesen alten Hirtenhundeschlag genau beschreibt.

In den aus dem 16. Jahrhundert stammenden »Ellogues« erwähnt Michael Drayton den Hund »Whitefoot«, der mit dem Stummelschwanz wedelt. Sogar Shakespeare gilt als Zeuge, da er in den »Lustigen Weibern von Windsor« die Hoffnung in vielen Dingen mit einem Hunde mit gekürztem Schwanz vergleicht. Sie waren zu dieser Zeit noch nicht so stark im Haar und auch etwas kleiner als unsere heutigen Bobtails.

Der Name Bobtail stammt daher, weil man im 18. Jahrhundert arbeitenden Hunden den Schwanz kupierte (bobbed), um die Hundesteuer zu sparen.

Wesensmäßig nimmt die Rasse den Hundefreund gleich bei der ersten Begegnung herzlich für sich ein. Es ist vor allem wohl der einmalig schöne Blick seiner wundervollen Augen: verträumt, unbeschreiblich sanft schauen sie unter dem dichten Haarschleier hervor; man ist versucht zu sagen: weise und gütig. Allerdings hat der Bobtail ja auch jahrhundertelang mit einer der sanftesten Tierarten unserer Erde, den Schafen, Umgang gehabt, und zwar, wie die Berichte lauten, vielfach auf sich allein gestellt, ohne einen Hirten.

Er legt beim Hüten eine außerordentliche Gewandtheit an den Tag; beispielsweise soll er behende über die Rücken der dicht an dicht gedrängten Tiere weglaufen, will er gelegentlich rasch an die Spitze der Herde gelangen. Er eignet sich weniger für Schafherden, die eingestallt werden, um so besser aber zum Treiben über große Strecken. Erfahrene Schäfer bezeugen, daß man einem Bobtail zwei- bis dreihundert Schafe ganz allein anvertrauen kann; er übereilt sie nicht, sondern treibt sie behutsam und vorsichtig. Der Schäfer wünscht nicht, daß ein Hütehund unbesonnen heftig mitten in eine Herde hineinspringt, vielmehr muß er einen weiten Kreis um sie herum beschreiben und dann mit sanftem Nachdruck die blökenden »Schutzbefohlenen« an den bezeichneten Ort dirigieren. Das tut der Bobtail ohne besondere Dressur.

Wegen der zottigen Beschaffenheit seines Haares und der Dichte des Haarkleides wird angenommen, daß er aus einem kalten Klima stammt. Die kurzen, kräftig gebauten Pfoten mit den dicken, harten Sohlen weisen auf eine gebirgige Heimat hin. Ein alter Kenner der Rasse, Mr. G. Phillips aus Glenvilet, glaubt daher, ganz sicher Schottland als ihr Ursprungsgebiet bezeichnen zu können, denn das hier lebende Hochland-Rindvieh wie auch die Pferde haben ebenfalls zottiges, rauhes und dichtes Haar und kurze stämmige Beine. Zwar läßt sich dagegen einwenden, daß der Bobtail zur Zeit des Berichtes dieses Gewährsmannes, nämlich vor etwa 70 Jahren, in Schottland verhältnismäßig selten anzutreffen war; doch erklärt er dies mit dem damaligen Rückgang der Schafzucht im großen Stil. Für den Landwirt mit kleinen Herden genügte der Collie; wo hingegen Schafzucht in großem Umfang getrieben wurde, ergab sich stets, daß der Bobtail der beste Schäferhund überhaupt ist.

Für rauhes Klima bringt er bessere Voraussetzungen mit als der Collie, der die Kälte weniger gut verträgt und im Winter immer neben dem Feuer liegen will, während der Bobtail nie vor Kälte zittert und sich im dichtesten Schneegestöber wohlzufühlen scheint.

Tatsache ist, daß der Bobtail völlig unbeirrt seine Herde treibt und das etwa seinen Weg kreuzende Wild nicht verfolgt. Wenn plötzlich ein Hase neben ihm aufspringt, blickt er ihm einen Augenblick nach und geht dann ruhig weiter.

Die Leistungen in seinem Fach werden von allen Seiten gerühmt. Schon seit 1876 veranstaltet man in England Preistreiben für Schäferhunde, die die hervorragenden Fähigkeiten der Bobtails beweisen. Im genannten Jahr brachte ein Mr. R. J. L. Price einhundert wilde walisische Schafe in das für diesen Zweck abgesteckte Gelände. Die Herde wurde in einer Ecke eingepfercht, nur drei Schafe nahm man heraus und trieb sie auf ein großes offenes Feld. Von dort mußte der Prüfling sie in einen kleinen Pferch bringen. Der Schäfer durfte ihm dabei assistieren, jedoch die Schafe nicht berühren. Die Schwierigkeit der zu lösenden Aufgabe, heißt es, könnte nur der würdigen, der die ungemein scheuen walisischen Schafe kennt.

Die Bobtails erwiesen sich ihrer Aufgabe gewachsen: Manche legten sich vor die Schafe nieder, damit sie sich erst wieder beruhigten, standen dann auf, machten einige Schritte vorwärts und legten sich wieder hin. Dieses Manöver wiederholten sie mit unerschütterlicher Geduld so lange, bis sie ihre Schützlinge ganz allmählich dem Eingang der Hürde zugetrieben und sie, beinahe ohne daß sie es merkten, in den Pferch hineineskortiert hatten.

Zu diesen Prüfungen brachte jeder Bobtailbesitzer zehn von seinen eigenen Schafen mit, die alle zu einer großen Herde vereinigt wurden. Aus diesem Meer von wogenden, wolligen Leibern hatte dann jeder Bobtail die zehn seinem Herrn gehörigen Schafe auszusondern. Fast alle Hunde bestanden diese Prüfung. Als nächstes mußten sie ein einzelnes Schaf aus einer fremden Herde herausfinden, hernach in einem unübersichtlichen, mit Unterholz bestandenem Gelände ein verlorenes Schaf suchen. Als letzte und schwerste Aufgabe mußten die Hunde jeweils die zehn eigenen Schafe ihres Meisters aus einem kleinen ersten Pferch durch die in dem anschließenden weiträumigeren zweiten Pferch sich befindende fremde Herde hindurch in einen dritten Pferch treiben. Durch beständiges Umkreisen hielt der Bobtail seine zehn Tiere dicht beieinander und geleitete sie so sicher durch die verstreut weidende große Herde hindurch dem Bestimmungsort zu. Wollte eines seiner Schafe ausbrechen, wurde es durch einen bestimmten sanft-energischen Zugriff in einen Hinterlauf zur Räson gebracht.

Kenner betonen, daß die Abrichtung der Bobtails nicht schematisch nach bestimmten Regeln vorgenommen wird, vielmehr weckt und fördert man nur verständnisvoll ihre natürlichen Anlagen: Das übrige tut das Beispiel der erfahrenen alten Hunde, das sie vor Augen haben.

Da der Bobtail wie alle Hirtenhunde seit Jahrhunderten immer als nächster Freund und Gehilfe in der unmittelbaren Nähe des Menschen gelebt hat, ist es durchaus erklärlich, daß seine Klugheit und Anpassungsfähigkeit auf besonders hoher Stufe steht. Seit eh und je ist er gewohnt, mit seinem Meister in enger Gemeinschaft zu arbeiten und zu leben. Folglich ist er ganz darauf eingestellt, ihm aufs Wort, ja, auf den kleinsten Wink zu folgen.

Charakter

Der Charakter aller Hirtenhunde, speziell aber des Bobtails, ist von einer hohen Intelligenz geprägt, welche — wie ich in diversen englischen Büchern nachlesen konnte — sich auch darin zeigte, daß sie ihren Herren das Leben retteten. Dazu geprägt, alles Hilfsbedürftige zu beschützen, ist ihm angeboren. Wir selbst konnten dies bei unserem Rüden *Mike* erleben:

Als Weihnachten meine Mutter — sie lebt in der Stadt — mit ihrer kleinen Yorkshire-Terrier-Hündin Buzi zu uns aufs Land kam, freundeten sich unsere drei »Großen« gleich mit dem kleinen Wesen an.

Besonders Mike sah sich als Hauptbeschützer; er war immer gleich zur Stelle, wenn er fand, es sei etwas nicht in Ordnung. So kam der zweite Weihnachtstag, es war nachmittags gegen 16.30 h, als wir alle Hunde in den Garten ließen; und da passierte es: Die Kleine entdeckte einen Spalt unter dem Gartentor, und weg war sie! Alles Rufen nützte nichts. In den Wiesen war sie für uns kaum sichtbar, zudem die Dämmerung immer stärker wurde. Was also tun, da das Tierchen sich ja nicht auskannte und den Weg nach Hause sicher nicht fand? Kurz entschlossen setzten wir Mike (den Bobtail-Rüden) auf die Spur mit dem Kommando:»Such die Buzi«, und siehe da, nach kurzer Zeit hatte er die Kleine aufgestöbert und trieb sie, zuerst in großen Bögen, dann immer

Kopfstudie der Bobtailhündin »Donna von St. Fridolin« (erste in der Schweiz gezüchtete Hündin, die den Titel eines Int. Champion errang).

enger werdend, bis vor meine Füße. Dort legte er sie auf den Rücken, stupste seine dicke Nase auf ihren Bauch, und ich brauchte sie nur noch aufzuheben und ihrem hochbeglückten Frauchen zurückzugeben. Mike verdiente sich damit große Hochachtung und eine leckere Wurst. Wir aber waren wirklich erstaunt ob dieser großartigen Demonstration eines uralten Instinktes, hatte doch das Tier noch nie Gelegenheit gehabt, diese Fähigkeit unter Beweis zu stellen. Wie sehr doch dem Bobtail das Treiben und Hüten angeboren ist!
Es ist überraschend, wie genau die Schilderungen seines Charakters und Wesens aus alter Zeit mit denen seiner heutigen Halter übereinstimmen — als Haus- und Familienhund ist er genausogut zu halten wie als Treib- und Hütehund. Seine persönliche Liebenswürdigkeit — er kann auch sehr drollig sein —, sein angeborener Gehorsam, sein Hang, alles Junge und Hilflose zu betreuen, seine Unermüdlichkeit als Begleiter, seine Wachsamkeit, sein geduldiges Warten — diese und noch viele andere gute Eigenschaften machen ihn zu einem der angenehmsten vierbeinigen Kameraden.
Meine Hündin »Sue of Shepton« kann ich auf jeder internationalen Hundeausstellung auch mit großem Publikumsandrang und entsprechendem Tumult unangeleint in ihrer Box sitzen lassen, den Wirrwarr um sich herum gelasssen betrachtend — rührt sie sich nicht von der Stelle.

Standard

Allgemeine Kennzeichen. Ein kompakt aussehender, zottig-langhaariger Hund mit größter Symmetrie, absolut frei von Schwäche oder Lahmen in den Gliedmaßen, überall dicht behaart, stummelschwänzig, sehr elastisch im Gangwerk; im Gehen soll er den für ihn charakteristischen Paßgang zeigen. Seine Stimme soll laut sein und sich wie ein eigenartiges blechernes Klingen (Pot-casse) anhören. Alles in allem ist er ein muskulöser, stämmiger Hund mit sehr viel Intelligenz, absolut frei von jedem Pudel- und Deerhound-(Windhund-)Charakter.

Größe. Rüden 56 cm und darüber, Hündinnen etwas kleiner.

Kopf. Umfangreich, Schädel nicht zu schmal, eckig abgestumpft. Stop gut markiert, reich behaart. Augen unter dem Haarüberfall verschwindend.

Fang. Ziemlich lang und kräftig, gut behaart.
Nase. Immer schwarz, groß und kräftig.
Gebiß. Zähne groß und stark, gut und gerade gestellt: Scherengebiß.

Skelett

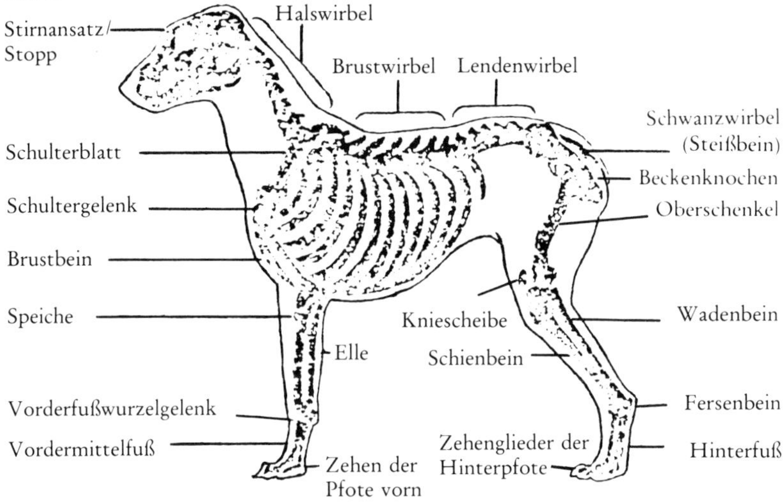

Wichtige Punkte des Bobtails

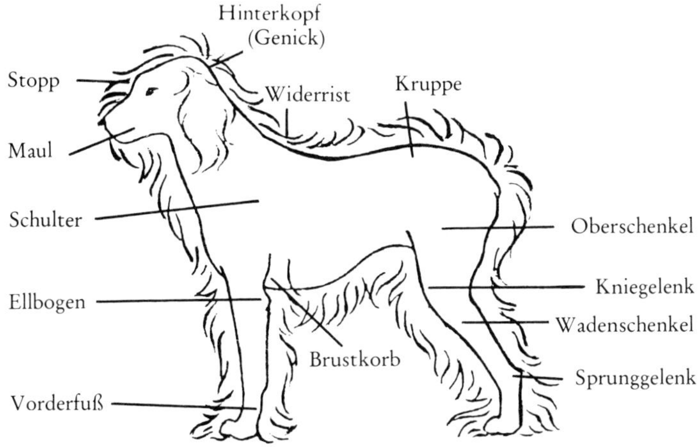

Augen. Sehr dunkle Augen oder Wall-Eyes (Glasauge oder China-Eyes infolge pigmentloser beziehungsweise -armer Iris) sind zu bevorzugen. Der Name »Wall-Eyes« ist darauf zurückzuführen, daß früher die Hirten annahmen, daß die blauen Augen weniger gefährdet sind, den Star zu bekommen. Sie haben einen »Wall«, sagten sie, der schützend davor ist. So wurden zum Hüten speziell blauäugige Hunde sehr gerne genommen und auch vermehrt gezüchtet.
Dazu kann ich aus meiner Erfahrung nur sagen, daß bei einem Hund von mir mit einem dunklen und einem blauen Auge tatsächlich im Alter zuerst das dunkle Auge eine Linsentrübung zeigte, das blaue jedoch klar blieb.

Ohren. Klein, flach anliegend, herabfallend, mittellang, behaart.

Hals. Mäßig lang, leicht gewölbt, dicht in der Behaarung.

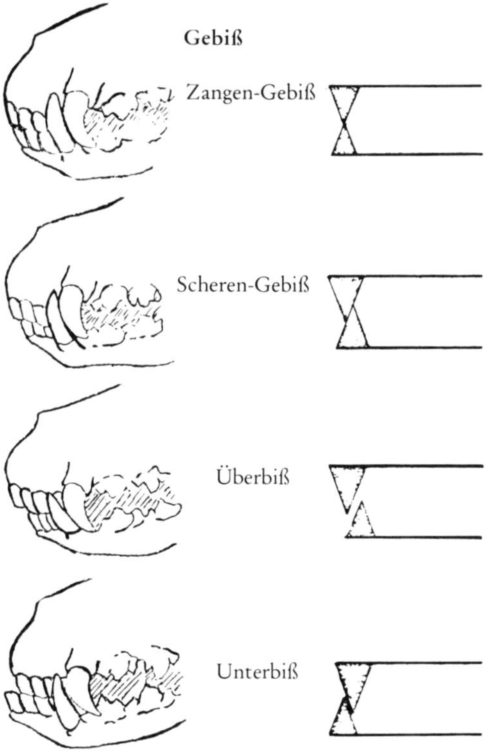

Fehler

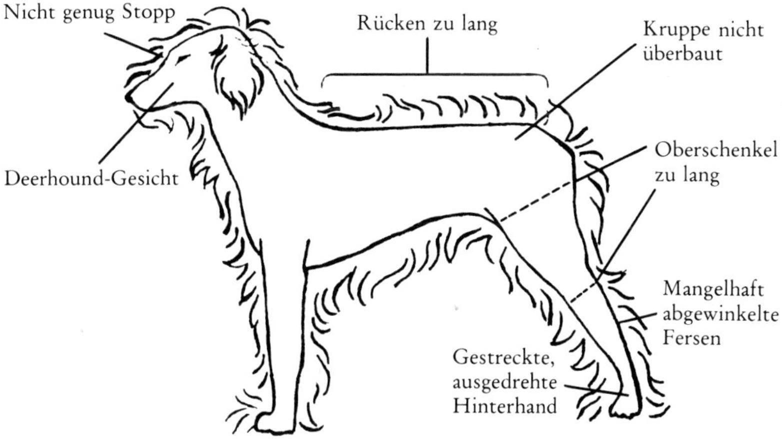

Rumpf. Kurz und gedrungen, Rücken gerade. Lendenpartie sehr kräftig und leicht gewölbt. Kruppe kräftig und gewölbt. Brust tief und breit, Rippenkorb gewölbt.

Rute. Kupiert (so hoch wie möglich, nicht wie manche Autoren angeben, vier bis fünf Zentimeter lang!), ab und zu, jedoch sehr selten, angeborener Stummelschwanz.

Vorderhand. Schultern schräg, gut anliegend, Widerrist niedriger als Kruppe. Läufe ziemlich lang, starke Knochen, kerzengerade, allseits gut behaart.

Hinterhand. Keulen gut gerundet, sehr muskulös. Oberschenkel müssen dichter behaart sein als irgendeine andere Körperpartie.

Läufe. Gerade, Sprunggelenk tief angesetzt.

Pfoten. Klein, rund, Zehen gut gewölbt, Ballen dicht und rund.

Haar. Deckhaar überreich, hart; nicht schlicht oder lockig, sondern zottig, strähnig fallend. Unterwolle dicht und weich (wasserabstoßend).

Farbe. Alle Töne von Grau, Graumeliert, Blau oder Bluemerl (Blaumeliert) mit oder ohne weiße Abzeichen, wobei die hintere Partie ohne weiße Patten oder Striche sein soll. Braune und gelbe Farbtöne sind fehlerhaft und unerwünscht.

Wir möchten einen Bobtail kaufen

Wo und bei wem finden wir unseren Hund?

Bevor Sie einen Bobtail kaufen, rate ich Ihnen, sich auf Ausstellungen, die es hier in jeder Region gibt, umzusehen und mit den entsprechenden Züchtern Kontakt aufzunehmen oder sich mit dem jeweiligen Club Ihres Landes in Verbindung zu setzen (wichtige Anschriften Seite 93).
Besuchen Sie die Ihnen angegebenen Zwinger, um sich »Ihre Welpen« anzusehen und auszusuchen. Lassen Sie sich vom Züchter beraten. Vergleichen Sie!! Bobtail-Welpen müssen gut ernährt aussehen, frei von tränenden Augen, Husten, Durchfall und so weiter sein. Bei einer so großen Rasse sind die ersten Lebensmonate für das ganze weitere Leben von entscheidender Bedeutung. Was hier durch Profitgier versäumt wird, kann fast nie mehr eingeholt werden. Daher: Achtung bei Händlern! Die paar Mark, die Sie hier beim Erwerb sparen, tragen Sie später um ein Mehrfaches zum Tierarzt. Die Welpen sollen einen lebenslustigen Eindruck machen. Sie sollen einen guten Knochenbau zeigen mit geraden Vorderbeinen und geraden Hinterbeinen und nicht kuhhessig sein und einen guten Gang haben. Schauen Sie sich bei der Gelegenheit die Eltern an. Anhand dieser kann man schon einiges über die Kinder erfahren. Lassen Sie sich nicht verwirren. Bobtail-Welpen

Fehler der Vorderhand

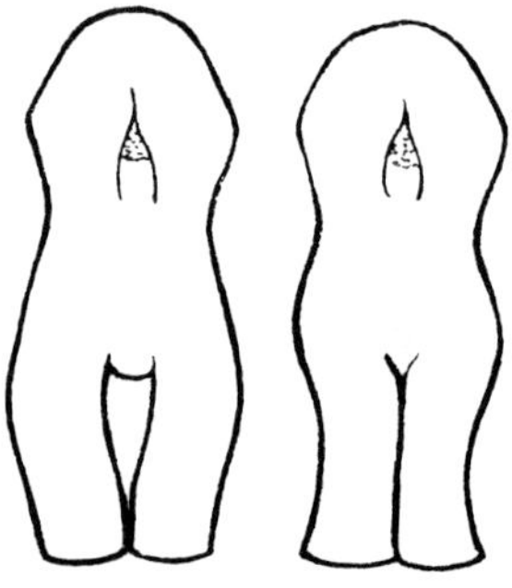

a) Ausgedrehte Ellbogen b) Ellbogen eingedreht

Fehler der Hinterhand

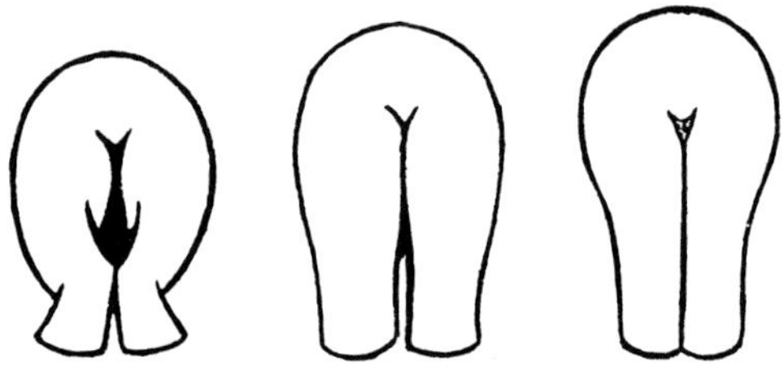

a) Kuhhessig b) Korrekt c) Zu eng

kommen schwarz-weiß zur Welt und färben erst später um, meist in ein sehr helles Grau, fast Silber, welches später dann wieder etwas dunkler wird. Der weiße Teil wird immer weiß bleiben. Dunkle Abzeichen am Kopf wirken sehr attraktiv. Achten Sie auf ein korrektes Gebiß.
Die Augen sollten dunkelbraun sein. Wall-Eyes (Augen) oder China-Eyes sind erlaubt. Es darf auch ein dunkles und ein blaues Auge sein, ebenso gleichfarbene. Haben die Augenränder etwas Pigment (dunkle Ringe), so ist das ein guter Punkt. Dieses Pigment sollte später das ganze Auge säumen, bei sehr hellen Köpfen wird es etwas länger dauern. Ebenso sollte die Nase dunkel sein. Kleine rosa Pünktchen werden sich mit der Zeit auch durchfärben, meist haben aber acht Wochen alte Welpen schon ganz durchgefärbte Nasen und auch Lippenränder. Kleine weiße Striche auf dem Hinterteil werden toleriert. Ich sah solche Hunde auch schon auf internationalen Ausstellungen.
Fragen Sie den Züchter nach einer gemachten Wurmkur. Bei uns werden die Welpen bis zur Abgabe an den neuen Besitzer drei- bis viermal entwurmt und zehn Tage vor dem Besitzerwechsel voll geimpft, was durch den Internationalen Impfpaß, der mit den Ahnentafeln zusammen abgegeben wird, dokumentiert ist.

Wie alt soll der Bobtail beim Kauf sein?

Wollen Sie sich nur einen Hund und nicht mehrere halten, empfehle ich Ihnen, den Bobtail so jung wie möglich zu kaufen. Der Welpe sollte aber mindestens acht Wochen alt sein. Voraussetzung für den Kauf solch eines jungen Hundes ist jedoch, daß Sie genügend Zeit und Geduld zur Erziehung des Kleinen besitzen. In diesem Alter wird viel gespielt und manches im Spiel zerrissen und zerrupft. Dafür erleben Sie aber fast die gesamte Entwicklungszeit Ihres Hundes mit den dazugehörigen Phasen.
Einen älteren Hund zu erwerben, ist zwar bequemer. Die Schwierigkeiten der Aufzucht, des Wachstums, die Anfangserziehung und auch eventuelle Kinderkrankheiten hat er hinter sich. Allerdings kann er nun auch schon Eigenschaften besitzen, die Sie nicht besonders erfreuen und deren Ursache sich nie ermitteln läßt.
Wählen Sie, wenn möglich, den goldenen Mittelweg und kaufen Sie einen drei bis vier Monate alten Bobtail, der sich in diesem Alter in der Rangordnungsphase befindet. Ein charakterfester Hund wird in diesem Alter immer Mittel und Wege finden, seinen Rang aufzupolieren. Geben

Sie jetzt seinen Launen öfter nach, so haben Sie später einen verzogenen und manchmal unberechenbaren Haustyrannen. Bleiben Sie also in allem und jedem konsequent, denn verwöhnen Sie ihn jetzt, so müssen Sie ihn bis an sein Lebensende verwöhnen.
In der Sozialisierungsphase (acht bis zwölf Wochen) entwickelt sich aus dem kindlichen Spiel eine starke Beziehung zur Umwelt. Aufgabe des Züchters ist es, sich in dieser so entscheidenden Prägungsphase zu bemühen, dem Welpen einen intensiven Kontakt zu den Menschen zu vermitteln. Ist der Kleine in diesem Alter bereits bei Ihnen, so sollten Sie so oft wie möglich mit ihm spielen.
Ich möchte hier noch folgenden Rat geben: Wenn Sie gerne zwei Hunde haben möchten, ohne züchten zu wollen, so nehmen Sie sich zwei gleichgeschlechtliche Tiere. Ein Pärchen, mit dem nicht gezüchtet wird, ist Unsinn, da der Rüde in den kritischen Tagen der Hündin doch leiden muß und mit der Zeit unter Umständen auch gegen andere Rüden angriffig wird, da er ja die »Dame seines Herzens« verteidigen will.
Nehmen Sie nie zwei Tiere aus dem gleichen Wurf. Ein Hund sollte immer 1 bis 2 oder mehr Jahre älter sein, damit wird der Ältere immer der Ranghöhere sein, und Machtkämpfen wird hiermit vorgebeugt.

Rüde oder Hündin

Diese Frage sollten Sie sich schon vor dem Besuch beim Züchter stellen, doch lassen Sie sich auch von ihm beraten. Ein Rüde wirkt natürlich immer mächtiger, größer und kräftiger als eine Hündin. Ganz falsch ist die weitverbreitete Ansicht, daß eine Hündin anhänglicher sei als ein Rüde. Ich habe die Erfahrung gemacht, daß unser Rüde oft ein viel größerer Schmuser ist als die Hündinnen. Der Käufer sollte sich also zunächst mal fragen, ob er eventuell später selbst mal züchten möchte. Da wäre es sinnvoll, sich eine Hündin anzuschaffen.
Wer eine Hündin haben möchte, der muß sich aber im klaren sein, daß diese meist zweimal im Jahr ihre Hitze bekommt. Diese Periode muß der Besitzer einkalkulieren. Vor allem ist es wichtig, in dieser Zeitspanne darauf zu achten, daß nicht ungebetene »Liebhaber« zu Besuch kommen, was zu noch weniger erwünschtem Nachwuchs führen könnte.

Beim Rüden, der über das ganze Jahr deckbereit ist, bereitet der Duft einer heißen Hündin in der Nachbarschaft oft Liebeskummer, und ein jaulender Hund, womöglich in einem Mehrfamilienhaus, ist auch nicht gerade nervenberuhigend.

Unsere Wohnung

Etage. So mancher Züchter mußte die traurige Erfahrung machen, daß nach mehreren Monaten der Hund wieder zurückgegeben wurde. Erkundigen Sie sich in jedem Fall beim Vermieter, ob eine Hundehaltung in den von Ihnen gemieteten Räumen gestattet ist. Die Genehmigung lassen Sie sich immer schriftlich geben, sofern nicht schon der Mietvertrag diesbezüglich eindeutig Auskunft gibt.
Es wird oft gesagt, kein großer Hund in eine Etagenwohnung. Doch sollte man auch hier differenzieren. Der Bobtail, ein doch relativ ruhiger Hund, braucht in der Wohnung seinen eigenen Platz, der ihm allein gehört. Da er, bedingt durch seinen dicken Pelz, in zentralgeheizten

Gute Spielkameraden.

Zimmern oft zu warm hat, sollte ihm, wenn möglich, ein Balkon zur Verfügung stehen. Von den täglichen Auslaufmöglichkeiten sollten Sie sich in jedem Fall vor dem Kauf informieren, denn hier kann es in einer Stadtwohnung zu ernsten Problemen kommen, und ein gewisses Maß an freiem Auslauf, das heißt ohne Leine, braucht nun mal jeder Hund.

Haus und Garten. Anders sieht es natürlich aus, wenn man ein eigenes Haus und einen Garten hat. Hier wird sich ein Bobtail natürlich ungleich wohler fühlen. Kann er doch seinem Bewegungsdrang nachgehen und hat trotz allem Kontakt zu seinen Menschen. Das heißt aber nicht, daß man ihn hier alles tun und machen lassen kann. Junghunde sind sehr erfinderisch, und hier ist eine Portion Konsequenz in punkto Erziehung, und zwar vom ersten Tage an, vonnöten.
Wenn Sie Ihrem Hund nicht von Anfang an beibringen, daß beim Harnlassen und Kotabsetzen nur die von Ihnen bereitgestellte Ecke benutzt werden darf, bietet Ihr Garten bald ein Bild der Verwahrlosung. Bei Hündinnen gibt es braune Flecken auf dem Rasen, bei den Rüden braune Sträucher und Blumen ohne Blüten. Keine Reklame für einen gut erzogenen Hund. In den Sommermonaten sollte zudem auch im Garten immer Wasser für den Bobtail erreichbar sein.

Familienanschluß

Ein junger Bobtail erobert die Herzen im Sturm, doch er sollte von Anfang an wissen und merken, wer sein Boß ist. Es ist schon so, der Bobtail ist ein Kinderfreund wie selten ein Hund, doch sollte man hier nicht in den Fehler verfallen und meinen, er sei ein herrliches Spielzeug für ein Kind. Sie müssen sein Meister sein. Einem Kind unter 15/16 Jahren einen Bobtail zu überantworten, ist Unsinn. Damit ist ein Kind in diesem Alter absolut überfordert, denn ein ausgewachsener Bobtail an der Leine ist schon für manchen Erwachsenen nicht ganz einfach zu halten. Zu schnell ist bei einem Schreck ein Unglück passiert. Von der Pflege ganz abgesehen.

Ahnentafel und Impfpaß

Kaufen Sie Ihren Bobtail beim Züchter, so ist dieser verpflichtet, zu dem Hund die entsprechende Ahnentafel und den zugehörigen Impfpaß ohne

Aufpreis auszuhändigen. Die Ahnentafel enthält den Namen des Hundes, die Zuchtbuchnummer, nennt die Eltern, Großeltern, Urgroßeltern und Ur-Ur-Großeltern, Name und Adresse des Züchters. Die Richtigkeit der gemachten Angaben müssen vom Züchter und Zuchtbuchführer durch Unterschrift bestätigt sein.

Die Ahnentafeln werden vom Club für Britische Hütehunde e.V. ausgestellt. Der Sitz der Zuchtbuchstelle ist in Reilingen/Baden, der Zuchtbuchführer Herr Willi Römpert. Mit diesen Dokumenten versehen, kaufen Sie einen Hund, der dem Dachverband FCI (Internationaler Hundeverband) angeschlossen ist. Nur mit einem solchen Hund können Sie, wenn Sie wollen, an Ausstellungen teilnehmen oder vielleicht sogar züchten.

Jeder verantwortungsvolle Züchter läßt bei seinen Welpen im Alter von sieben bis neun Wochen die Grundimmunisierung gegen Staupe, Hepatitis und Leptospirose durch einen Tierarzt durchführen und auf dem Internationalen Impfpaß bescheinigen. Diesen Impfpaß brauchen Sie auch, wenn Sie mit Ihrem Hund ins Ausland wollen. Da sollten Sie aber noch darauf achten, daß Ihr Hund gegen Tollwut geimpft wird und die Identität vom Amtsarzt eingetragen wird. Tollwutimpfen sollte man allerdings erst, wenn der Hund sechs Monat alt ist. Die Impfung (sogenannte Dreifachimpfung) muß im Alter von etwa 14 bis 15 Wochen wiederholt werden, die zweite Wiederholungsimpfung am Ende des ersten Lebensjahres durchgeführt werden. Es ist selbstverständlich, daß zehn Tage vor jeder Impfung eine Wurmkur gemacht werden muß.

Aufzucht und Erziehung

Die ersten Tage im neuen Heim

Kommt der Tag näher, an dem Sie Ihr Jüngstes holen können, so besorgen Sie sich nach Rückfrage beim Züchter alles Notwendige für die ersten Tage. Die meisten Züchter werden Ihnen einen Speiseplan mitgeben, wie der Welpe bis jetzt ernährt wurde. Dieses System sollten Sie unbedingt befolgen, damit es keine unangenehmen Überraschungen gibt. Bobtails reagieren gerne auf eine Futterumstellung mit Durchfall. Für diese Eventualitäten sollten Sie zum Beispiel Arobon/Nestle im Hause haben.

Selbstverständlich sollte sein, daß der Hund von Anfang an sein eigenes Geschirr, das heißt einen Freßnapf und einen Wassernapf hat. Wenn Sie Gutes tun wollen, so kaufen Sie die im Handel erhältlichen Gestelle, die man in der Höhe verstellen kann, so daß Sie mit dem Hund wachsen (wichtig für eine schöne Halslinie).

Mit dem Züchter haben Sie den Termin für das Abholen des Welpen vereinbart. Hierzu eignet sich das Wochenende, am besten der Samstagmorgen. Richten Sie es so ein, daß sie so früh wie möglich wieder zu Hause sind, damit der Kleine sich noch im Hellen in seiner neuen Heimat umschauen kann und sich vertraut macht mit dem Neuen, das auf ihn einstürmt. Doch machen Sie kein Familienfest aus seinem Eintreffen. Die ersten Tage sollten so wenig wie möglich Fremde an den Hund herangelassen werden. Die Fahrt nach Hause sollte auf dem kürzesten Weg geschehen. Machen Sie alle zwei Stunden Pause, in der Sie den Kleinen seine Geschäfte machen lassen. Hierzu brauchen Sie Leine und Halsband, bei einer längeren Reise wäre ein Wassernapf angebracht, vor allem in der heißen Jahreszeit.

Beim Bobtail würde ich raten, mit einem Lederhalsband etwa in der Größe von 43 cm anzufangen, die Leine kaufen Sie sich gleich in der richtigen Größe. Später rate ich Ihnen, sich ein großgliedriges Metallhalsband zuzulegen.

Denken Sie auch daran, daß Ihr Hund sehr wahrscheinlich noch nie Auto gefahren ist, manche müssen erbrechen. Nehmen Sie Tücher mit. Von Vorteil wäre es, wenn Sie sich von einer zweiten Person begleiten ließen, die das Tier ablenkt. Lassen Sie ihn nicht zum Fenster rausschauen, der beste Platz ist bei der ersten Fahrt vorne zwischen den Beinen der Begleitperson. Später sollte ein Hund immer auf den Hintersitzen untergebracht werden. Als sehr vorteilhaft hat sich das für alle Wagen erhältliche Netz oder Gitter erwiesen.

Probleme der Aufzucht

Die Annahme, es gäbe keine Probleme bei der Aufzucht unseres Bobtails, wäre eine sichere »Vogelstraußpolitik«. Diese Probleme häufen sich um so mehr, wenn der neue Bobtailbesitzer entweder von dem Züchter nicht genügend aufgeklärt worden ist oder glaubt, alle gutgemeinten Ratschläge in den Wind schlagen zu können. Die meisten Aufzuchtprobleme resultieren aus einer falschen Fütterung. Man hört immer wieder den Rat, ein junger Hund soll soviel fressen, wie er will. Er kann sich nicht überfressen. Doch hier müssen wir genau unterscheiden. Es gibt bei den Bobtails schlechte und gute Fresser, schlechte und gute Futterverwerter. Unkontrolliertes Füttern jedoch führt fast immer zur Fettleibigkeit. Dieses aber belastet, wie bei uns Menschen auch, Herz und Kreislauf enorm. Die Folge ist ein Hund, der sich träge dahinbewegt, der besonders im Sommer bei Hitze größte Schwierigkeiten zu bewältigen hat und dessen Lebenserwartung erheblich kürzer ist als die seiner vernünftig ernährten Artgenossen.

Durch vieles Liegen auf hartem Boden kann es beim Bobtail an den Seiten der Ellenbogen zu Liegeschwielen mit Verdickung der Haut kommen, ab und zu auch zur Entzündung. Weicheres Lager und entzündungshemmende Salben helfen hier gut.

Ich kann Sie nicht eindringlich genug bitten, das Kapitel »Ernährung« immer wieder gründlich durchzulesen und zu befolgen. Leider neigt unsere Rasse dazu, ein ordentliches Gangwerk vor allem der Hinterhand zu verlieren, vor allem, wenn die nötige Bewegung fehlt. Ein vernünftiges Maß an Training — sehr zu empfehlen ist das Gewöhnen, neben dem Fahrrad zu laufen — und eine sorgsam abgewägte Ernährung können diesem Übel Einhalt gebieten. Bei auftretenden Schwierigkeiten wenden Sie sich am besten an den Züchter Ihres Hundes oder Ihren Tierarzt.

Besuch beim Tierarzt

Gehen Sie innerhalb der ersten Woche, in der Sie Ihren Welpen erhalten haben, zu einem Tierarzt. Versuchen Sie jemanden zu finden, der schon Erfahrung in der Behandlung von Bobtails hat. Bei diesem ersten Besuch wollen Sie den Welpen nur vorstellen und sich einen Überblick über den allgemeinen Gesundheitszustand verschaffen. Geben Sie dem Welpen mindestens zwölf Stunden vor dem Besuch nichts zu fressen und etwa zwei Stunden vorher nichts zu trinken. Sie vermeiden dadurch ein unnötiges Beschmutzen des Warte- oder Behandlungsraumes.
Haben Sie mit Ihrem Züchter einen Kauf abgeschlossen, in dem beinhaltet ist, daß Sie den Welpen bei Feststellung von schwerwiegenden Mängeln beziehungsweise Krankheiten zurückgeben können, so ist der Besuch beim Tierarzt absolut erforderlich. Bei diesem ersten Besuch wird Ihnen der Tierarzt auch den genauen Termin für die zweite Grundimmunisierung geben. Diesen Termin sollten Sie unbedingt wahrnehmen, wollen Sie nicht Gefahr laufen, daß sich Ihr Hund irgendwo infiziert. Näheres über Krankheiten erfahren Sie im letzten Kapitel dieses Buches.

Erste Schritte zur Sauberkeit

Stubenrein haben Sie den Bobtail sehr schnell. Auch hier ist die Konsequenz oberstes Gebot. Nach jeder Mahlzeit kommt ein Häuflein, nach jedem Schlafen ein Pfützchen. Bei einiger Beobachtung hat man schnell heraus, was passiert. Man schnappt den Kleinen und setzt ihn da hin, wo er darf. Ist es dann passiert, lobt man ihn gebührend. Fast alle unsere Hunde waren, wie uns die neuen Besitzer erzählten, nach etwa drei bis acht Tagen vollständig sauber.
Hier möchte ich noch beschreiben, wie man einen Bobtail auf den Arm nimmt. Heben Sie ihn nie an den Vorderbeinen oder Genick wie ein Kaninchen in die Höhe, sondern fassen Sie mit der Hand unter seinen Bauch bis Sie mit den Fingern unter den Vorderbeinen sind. So haben Sie das Gewicht des Welpen auf dem Arm, wird er schwerer, nehmen Sie ihn mit beiden Händen.
Bringen Sie ihn von Anfang an immer zu dem Plätzchen, welches sein »Klo« werden soll. Hat er dort sein Geschäft verrichtet, so sollten Sie mit Lob nicht sparen. Ist nun doch mal was auf dem Teppich im Haus

Zwei Unzertrennliche.

passiert, so ist es völlig unsinnig, ihm die Nase reinzustecken, wenn er sich setzt, so genügt oft schon ein Klatschen in die Hände, und dann ab aufs »Hundeklo«!

Sie haben sich nun am ersten Tag viel mit Ihrem Hund beschäftigt und haben ihm sein Schlafplätzchen gezeigt. Der Schlafplatz des Hundes sollte im übrigen an einem von Zugluft geschützten Ort sein. Ein Schaumgummibett mit waschbarem Überzug von 80 bis 120 cm Größe oder ein Wollteppich sollte ihm gehören. Meist wird er sich in jungen Jahren einen kühlen Platz suchen, im Alter dagegen wird er gerne auf sein etwas komfortableres Bett gehen.

Legen Sie ihm vielleicht in den ersten Nächten das Tuch, auf dem Sie ihn geholt haben, mit aufs Bett. Trotz allem werden aber die ersten Nächte unruhig sein. Fern seiner bis dahin gewohnten Umgebung wird er weinen, er fühlt sich einsam ohne Mutter und Geschwister. Die neuen »Eltern« sind ihm noch fremd, also wird gejammert, was nur allzu natürlich ist. Diese Nächte sind nun ganz wichtig für die weitere

Entwicklung. Werden Sie nämlich jetzt schwach und übermannt Sie das Mitleid mit dem süßen Kleinen, ist es meist ein für alle Mal passiert, holen Sie ihn in Ihr Schlafzimmer, wird er wohl nie mehr daraus zu verbannen sein. Er wird zwar hier im Schlafzimmer schneller ruhig sein, doch keineswegs die Vernunft zeigen, die sein Herrchen von ihm erwartet, und es in den nächsten Nächten immer wieder probieren. Einen ausgewachsenen Bobtail im Schlafzimmer zu haben, ist nicht unbedingt das Idealste. Hier hilft nur eiserne Konsequenz, und das Schlafzimmer bleibt »tabu«. Lassen Sie ihn ruhig einige Nächte jammern, meist hat er es nach zwei bis drei Nächten gemerkt, daß diese Tour nicht zum Ziele führt und sich in das Unvermeidliche gefügt. Ein Kalbsknochen zum Nagen oder ein Büffelhautknochen tun das ihre noch dazu.

Ein gut erzogener Hund

Es ist so wichtig: Wer die Freude an seinem Hund nicht verlieren will, muß ihn erziehen, und zwar von Anfang an, also vom ersten Tage. Es geht um die Erziehung zum angenehmen und liebenswerten Hausgenossen. Der Bobtail ist ein intelligenter Hund, aber sensibel. Seine Erziehung sollte daher nicht ungerecht sein. Seinem Charakter entsprechend, alles zu beschützen, können Sie sich in der Erziehung zunutze machen. Doch auch der Bobtail braucht seinen Meister, den er als Rudelführer anerkennt. Ein Bobtail, der nicht folgt, wenn man ihn ruft, wird niemals eine Freude sein.
Rufen Sie Ihren Hund vom ersten Tag an, an dem Sie ihn besitzen, mit dem Namen, auf den er hören soll, er begreift sehr schnell, daß er gemeint ist. Nach einigen Tagen hat er sich auch an das Halsband gewöhnt. Im Garten oder in einer stillen Seitenstraße führt man ihn nicht an der Leine, meist macht das gar keine Schwierigkeit. Zu Hause wird vom ersten Tag an das Kommando »Sitz« und »Platz« geübt. Er wird es sehr schnell kapieren, ist es doch sehr oft mit dem Fressen oder dem Angebot von Leckereien verbunden. Auf dem Spaziergang stecken sie sich daher auch einen Hundekuchen ein, und wenn er auf Ihr Kommando kommt, so wird er belohnt. Solange der Bobtail nicht hundertprozentig auf das Kommando, sei es nun Pfiff oder Ruf, hört, sollte man ihn nicht von der Leine lassen. Eine lange Leine ist dann sicher geeignet, mit dem Hund Gehorsamsübungen anzufangen.
 Überall dort, wo Straßen und Autoverkehr in der Nähe sind, gerät ein

nicht folgender Hund in Lebensgefahr. Nach der »Komm-Übung« kann man dazu übergehen, ihm das Sitzen beizubringen. Hierzu kann man das Halsband halten und mit der anderen Hand sein Hinterteil leicht herunterdrücken. Alle diese Übungen brauchen eine gewisse Konsequenz, gepaart mit viel Liebe und Einfühlungsvermögen in das Tier. Die Befehle müssen ruhig und prägnant sein, alle Lobesworte sollten jedoch einen einschmeichelnden Ton haben. Haben Sie Geduld mit Ihrem Bobtail, viel Geduld, es ist noch kein Meister vom Himmel gefallen, aber seien Sie konsequent, wenn es darum geht, Ihren Willen und Befehl dem Hund aufzuzwingen. Sollten Sie gar nicht zurechtkommen, so gehen Sie mit Ihrem Liebling mal auf einen Hundeübungsplatz, hier wird man Ihnen gerne mit Rat und Tat zur Seite stehen. Nur eines: Schlagen Sie Ihren Hund nie!
Zur Erziehung Ihres Hundes gehört auch, daß Sie ihn mal alleine in der Wohnung lassen können. Damit man auch mal einkaufen kann, gewöhnen wir unsere Hunde von Anfang an, auch wenn wir mittags zu Hause sind, zwei bis drei Stunden alleine zu bleiben. Da — wie schon gesagt — der Bobtail ein sehr intelligenter Hund ist, begreift er sehr schnell, und wie man sie zieht, so hat man sie später.
Ein gut erzogener Hund sollte beim Essen nicht in die Küche und ins Eßzimmer. Er wird größer und vermag bald über den Tisch zu blicken. Nicht alle Gäste finden es so sehr sympathisch, den Kopf Ihres Bobtails auf der Serviette zu haben oder sogar in der Nähe ihres Tellers. Wichtig ist es, daß der Hund sein Fressen bekommen hat. Es ist dem Bobtail mit Geduld durchaus klarzumachen, daß er am Tisch nichts zu suchen hat. Man sollte aber auch nicht zulassen, daß ihm andere Menschen schnell und heimlich einen Happen zustecken. Ganz abgesehen davon, daß unsere Menschennahrung dem Hunde in keiner Weise zuträglich ist. Ein so erzogener Hund wird auch in einem Restaurant oder Hotel nicht unangenehm auffallen.

Sein Platz in der Familie

Schon bevor Sie Ihren Bobtail zu sich nehmen, sollte im Familienrat abgeklärt sein, wer der Hauptboß ist; diese Person sollte das Tier füttern und sich am Anfang hauptsächlich um es kümmern. Mit den Kindern sollte man vernünftig reden und ihnen klarmachen, daß dieses kleine Wollknäuel ein lebendes Wesen ist, welches Freude und Schmerz

genauso spürt wie sie selbst. Vor allem auch ist es wichtig, zu erklären, daß das Tier eigentlich noch ein Baby ist und viel, viel Schlaf braucht, den es absolut nötig hat. Von allen Seiten muß hier Toleranz geübt werden. Kinder begreifen sehr schnell, wenn man im richtigen Ton und Augenblick mit ihnen redet. Niemals sollte der Bobtail im Zusammenleben mit Kindern ungerecht oder inkonsequent behandelt werden, er würde es erdulden, aber verstehen würde er es nicht. Er liebt Kinder und bei hundegerechter Erziehung und Haltung wird er es Ihnen sein ganzes Leben mit Treue und Anhänglichkeit danken.
Der aus dem Familienverband herausgenommene kleine Hund braucht Ersatz für seine bis dahin liebste Tätigkeit, das Spielen. Man kann nicht erwarten, daß aus dem kleinen Welpen quasi über Nacht ein wohlerzogener Hausgenosse entsteht. Er wird immer versuchen, nach der ersten Eingewöhnungsphase Ersatz für seine Tollereien und Spiele zu finden. In dieser Zeit werden er und Sie begreifen, wo er seine spitzen Milchzähnchen überall mit Erfolg einsetzen kann. Er wird versuchen, alles, was ihm vors Maul kommt, anzunagen. In dieser Periode müssen Sie besonders wachsam sein und ihn möglichst viel beschäftigen. Lassen Sie ihn in dieser Zeit zu lange unbeaufsichtigt, so kann es passieren, daß Sie in Ihrer guten Stube Kleinholz vorfinden statt den ersehnten Sessel. Gefährlich, aber sehr begehrt, sind alle Arten von Kabel. Sind sie unter Strom, könnte das tödliche Folgen haben. Ebenso gefährlich ist Glas, es kann böse Verletzungen geben. Widmen Sie ihm daher gerade in diesem Flegelalter viel von Ihrer Zeit. Vor allem auch mit dem pädagogischen Hintergedanken, ihn spielerisch in die neue Rangordnung einzugliedern und das Zusammengehörigkeitsgefühl zu stärken und zu verfestigen.

Ferienprobleme

Das Mitnehmen auf Ferienreisen sollte wohlüberlegt sein. Das Schönste wäre natürlich, wenn man Ferien mit dem Bobtail plant, überall, wo man so recht von Herzen wandern kann, ist unser Bobtail dabei. Trimmurlaub wäre eine gute Bezeichnung dafür. Nur in den »heißen Ländern«, da wird's unseren Bobtails zu warm, aber was dann? Schauen Sie sich frühzeitig nach einer guten Hundepension um, fahren Sie hin, und schauen Sie sich alles an. Eventuell nimmt ihn auch der Züchter für einige Zeit zu sich. Vielleicht haben Sie das Glück, daß eine hundeliebende Nachbarin ihn zu sich nimmt.

Planen Sie so, daß Ihr Bobtail mit darf, so ist es ganz nützlich zu wissen, daß es einen Hotelnachweis gibt. Im Verlag für Hundefreunde hat Herr Gerd Deussen vor Jahren bereits einen Europäischen Hotel- und Campingführer geschaffen, der 31 300 Anschriften für Deutschland und 20 europäische Ferienländer enthält. In diesem Führer sind auch 25 Gebote für den Hundebesitzer in der Urlaubszeit, Reise und Reisekosten mit Hund, per Bahn, Schiff und Flugzeug und so weiter enthalten (s. S. 93).

Geht die Reise ins Ausland, so tun Sie gut daran, sich vorher zu informieren, welche Impfungen im Internationalen Impfpaß enthalten sein müssen. In den meisten unserer Nachbarländer ist eine Schutzimpfung gegen Tollwut zwingend vorgeschrieben. Die letzte Tollwutimpfung muß dabei 30 Tage vorher, höchstens aber ein Jahr vorher verabreicht worden sein.

Zwei Champions.

Hundesteuer

Sie haben sich nun einen Bobtail angeschafft und haben dem Züchter seinen Preis bezahlt. Jetzt aber müssen Sie daran denken, bevor Sie Ärger bekommen, daß zunächst einmal die Hundesteuer fällig wird, und zwar ist nach geltenden Bestimmungen für jeden Hund eine Hundesteuer zu entrichten. Der Steuersatz liegt in den Städten und Gemeinden unterschiedlich hoch. Für die Anmeldung ist in der Regel das Ordnungsamt einer Gemeinde zuständig. Wer seinen Hund nicht meldet, macht sich der Steuerhinterziehung schuldig. Da die Behörden in dieser Beziehung wenig Spaß verstehen, sollte man seinen neuen Hausgenossen sobald wie möglich anmelden.

Eine Haftpflichtversicherung sollte für jeden Hundehalter eine Selbstverständlichkeit sein. Eine solche Versicherung deckt alle Schäden, die ein Hund Drittpersonen (also Nicht-Familienmitglieder) zufügen kann. Denken Sie nicht, so etwas brauche ich nicht! Ihr Hund sei so gut erzogen, daß er weder Menschen noch andere Hunde beiße. Gerade bei einer so großen Rasse wie dem Bobtail kann schon ein zu freudiges Anspringen — und sei es bei Bekannten — zu einem unvorhergesehenen Unglück führen. Wer aber daran denkt, welche schweren persönlichen und materiellen Schäden beispielsweise bei einem vom eigenen Hund verursachten Verkehrsunfall eintreten können, dem wird die dringende Notwendigkeit einer solchen Haftpflichtversicherung für seinen Bobtail sofort einleuchten. Es ist sinnvoll, sich vor dem Abschluß einer Versicherung bei den verschiedenen Gesellschaften über die Höhe der Jahresprämie zu informieren, weil es da bisweilen erhebliche Unterschiede gibt. Auch besteht oft die Möglichkeit, bei einer bereits bestehenden Haftpflichtversicherung eine Zusatzversicherung abzuschließen, deren Prämie dann etwas geringer sein dürfte. Billig ist diese Versicherung sicher nicht. Wenn Sie sich aber vorstellen, welche Schadensansprüche auf Sie zukommen könnten, so müssen Sie einsehen, daß die Jahresprämie einer Haftpflichtversicherung das kleinere Übel ist.

Das Fell und seine Pflege

Die Entwicklung des Haarkleides

Der Bobtail wird schwarz/weiß geboren und färbt in den ersten 18 Monaten seines Lebens in den graublauen Ton um. Am Anfang meist in ein helles Silber, oft vermischt mit einem leichten braunen Ton, der jedoch auswächst. Diesen Braunton gibt es aber auch mitunter, wenn der Hund zu lange der Sonne ausgesetzt ist oder am Meer durch die salzhaltige Luft. Auch finden wir diese nicht sehr schöne Farbe, wenn der Hund nicht gut gebürstet wurde. Die tote Unterwolle erscheint dann braun. Für das Fell des Bobtails sind unsere zentralgeheizten Zimmer fast zu warm. Sehen Sie, daß Sie ihm einen Ort zuweisen können, wo es ihm behagt, trocken und nicht zu warm. Unsere Hunde lieben unseren komplett gedeckten Balkon.
Der Bobtail hat zwei verschiedene Arten von Fell: ein harsches Oberfell und ein weiches, wasserundurchlässiges Unterfell. Ist das Haar sehr lang und dick, so kann es das Aussehen des Bobtails verändern. Er erscheint plump und dick. In diesem Falle ist es nötig, ihm am Nacken und an den Schultern die Haare etwas auszukämmen.

Haarpflege — wie und womit?

Sie brauchen für die Pflege eine gute Bürste und einen nicht zu engzinkigen Kamm. Beginnen Sie mit der Haarpflege so früh wie möglich, damit das Tier später an diese Prozedur gewöhnt ist. Ganz am Anfang reicht eine ausgediente Haarbürste. Günstig ist es, wenn Sie einen alten Tisch besitzen, wo Sie den Hund drauflegen können. Am Anfang sollten Sie den Hund jeden Tag bürsten, dadurch beschleunigen Sie den Haarwechsel. Später genügt es, ihn zweimal wöchentlich gründlich durchzubürsten.
Beginnen Sie am Kopf: Zuerst säubert man die Augen, am besten mit einem feuchten Wattebausch. Schauen Sie, ob Sie Filz finden, dieser wird mit den Fingern auseinandergezupft und dann ausgebürstet. Ein Blick in

die Ohren ist von Vorteil, verknotetes Haar im Gehörgang wird vorsichtig mit einer abgerundeten Schere entfernt. Dann wird das ganze Haar am Kopf schön hochgebürstet. Speisereste im Bart werden nach jeder Mahlzeit mit lauwarmem Wasser ausgewaschen.
Die Haare über den Augen, von den Engländern »Fall« genannt, können sehr dick und lang werden. Ist dies nicht der Fall, bürsten Sie das Haar aufwärts, legen Sie die andere Hand über Augen und Nase und bürsten das Haar darüber. Diese Prozedur verstärkt den Stopp, und der Kopf bekommt das typische Aussehen. Ist es aber sehr dick und lang, so kann man aber auch diese Haare mit einem Gummi zusammenhalten, damit der Hund besser sehen kann. Dies ist vor allem nötig, wenn der Hund frisch gebadet ist und das Haar sehr füllig überhängt. Die Ohren selbst und dahinter haben die Tendenz, gerne zu verfilzen. Haben Sie ein waches Auge darauf. Sollten die Haare an den Ohren zu lang werden, können Sie die Spitzen mit den Fingern ganz leicht etwas austrimmen.

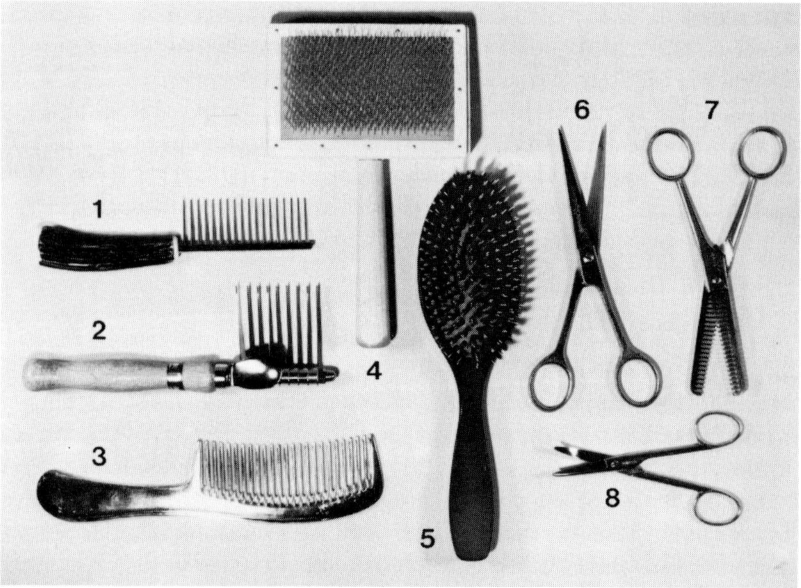

Werkzeug für die Fellpflege.
1 Engzinkiger Kamm, 2 Entfilzungskamm, 3 weitzinkiger Kamm, 4 Bürste mit Stahlborsten (sogenannte Pudelbürste), 5 Bürste, weich, mit Nylonborsten, 6 spitze Schere, 7 Effilierschere, 8 abgerundete Schere.

Aber nicht zu kurz. Dann bürsten Sie Nacken und Schultern. Sind sie zu dick, können Sie, wie schon zuvor gesagt, dieses auskämmen. Halten Sie sich aber bitte vor Augen, daß der Bobtail nie zurechtgemacht aussehen soll, sondern so natürlich wie möglich! Dann legen Sie den Hund auf die Seite und arbeiten Strich für Strich das Haar durch, um eventuelle Filzplatten zu finden. Diese werden dann mit den Fingern auseinandergezupft. In schlimmen Fällen kann Ihnen ein Entfilzungskamm, der in Zoogeschäften und im Fachhandel zu haben ist, helfen, ohne daß der Hund sehr leiden muß. Sorgen Sie immer dafür, daß das Tier keine Schmerzen hat. Nehmen Sie sich Zeit. Für Hunde, die an Ausstellungen teilnehmen, muß beachtet werden, daß nicht zuviel Wolle weggenommen wird! Zuerst die Vorderseite, dann den Rumpf und dann die Hinterbeine. Ist die eine Seite in Ordnung, drehen Sie den Hund auf die andere Seite und wiederholen das gleiche. Dann stellen Sie den Hund hin und bürsten das Fell nochmals fest durch, so wie es in der Abbildung (S. 43) gezeigt wird.

Sollten Sie dennoch Probleme haben, gehen Sie, bevor es zu spät und der Hund so verfilzt ist, daß man ihn schneiden oder abscheren muß, zu Ihrem Züchter. Bei Hunden, die nicht ausgestellt werden, ist es besser, ihnen etwas mehr Haare auszubürsten. Lieber einen etwas dünneren Bobtail als ein Filzpaket. Ich selbst nehme meinen Hunden im frühen Frühling das ganze Unterhaar raus. Es kommt in etwa zehn Wochen um so schöner nach!

Filzplatten, was tun?

Sollte es nun doch einmal nötig sein, daß Ihnen durch widrige Umstände Ihr Hund so verfilzt ist, daß man ihm die Haare abschneiden muß, so gehen Sie folgendermaßen vor:

Legen Sie den Hund auf den Tisch und fangen Sie unten an den Vorderbeinen an, schneiden Sie mit einer spitzen, scharfen Schere jede Filzplatte in Streifen auf, etwa ein bis zwei Zentimeter breit, bürsten oder kämmen Sie dann die einzelnen Platten aus. Beachten Sie, daß es keine Löcher gibt. Dann nehmen Sie die Hinterbeine dran und gehen in gleicher Weise vor. Dann den Rumpf, Bauch und Nacken. Dann drehen Sie den Hund und machen das gleiche auf der anderen Seite. Ist das gemacht, stellen Sie den Hund hin und bürsten das Fell gut durch, egalisieren alles, damit es ein einheitliches Bild gibt.

Sollte dies alles nicht mehr möglich sein, so würde ich Ihnen raten, das Fell in einem guten Hundesalon komplett mit der Maschine runterscheren zu lassen. Es kann Ihnen sonst passieren, daß sich unter dem Filz Ekzeme bilden. Deshalb, wenn Sie nicht ausstellen und in die Situation kommen, wo Sie genau wissen, daß Sie Ihrem Hund über längere Zeit nicht die Pflege angedeihen lassen können, die er normal braucht, kürzen Sie ihm die Haare um einige Zentimeter mit der Schere. Das sieht nicht schlecht aus. Bürsten Sie das Fell einige Minuten, und Ihr Hund zeigt ein gepflegtes Aussehen. Bis Sie wieder Zeit haben, ist auch das Fell wieder nachgewachsen. Es gibt nichts Häßlicheres als ein mit Filzplatten bedeckter, ungepflegter, stinkender Bobtail!
Baden Sie Ihren Bobtail nur, wenn es dringend nötig ist. Durch das Bad wird das Haar weich und filzt mehr. Bei regelmäßigem Bürsten und Kämmen wird der Hund immer sauber und propper aussehen, und da das natürliche Öl im Haar ist, bleibt es ganz von selbst sauber. Wichtig ist auch, daß Sie den Hund nur bürsten, wenn er ganz trocken ist. Einen feuchten Hund können Sie gut mit einem Fensterledertuch trocknen. Er wird damit auch schön sauber. Da das Bobtailhaar sehr lange zum Trocknen braucht, baden Sie den Hund — wenn einmal wirklich nötig — im Sommer, wenn es schön warm ist, oder gegen Abend, damit er über Nacht im geheizten Haus trocknen kann. Meist ist es aber nur nötig, das Weiße zu baden. Bei Rüden ab und zu auch mal den Bauch. Wenn das bei meinen Hunden der Fall ist, so stelle ich das Tier unter die Dusche, shampooniere es mit einem guten Hundeshampoon ein, welches gleichzeitig auch Ungeziefer tötet. Gutes Nachspülen mit warmem Wasser ist

Haarkleid

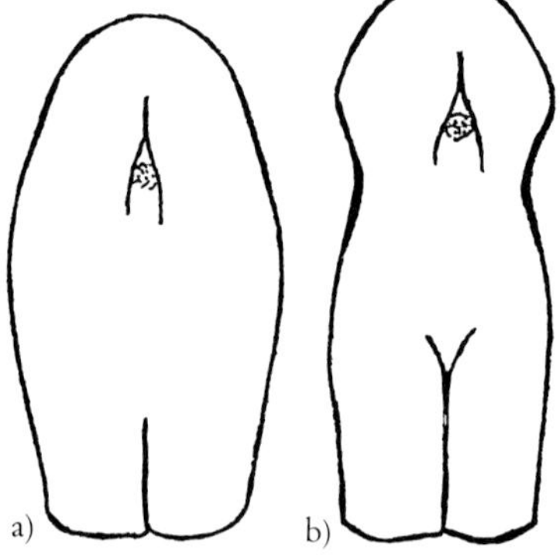

Vorderansicht

a) Haarkleid nicht zurechtgemacht

b) Richtig zurechtgemachter Hund

Warten auf Frauchen!

sehr wichtig. Geben Sie auch acht, daß keine Seife in Augen und Ohren kommt. In die Ohren kann man vorsichtshalber Wattebällchen stecken. Anschließend wird der Hund in ein Badetuch gepackt und gut frottiert. Von Nutzen ist es, wenn Sie für Ihren Liebling ein eigenes Badetuch besitzen. Wenn er es sich gefallen läßt, fönen Sie ihn wenigstens annähernd trocken. Lassen Sie ihn aber ja nicht in den Garten, sonst wird er gleich hinterher ein Sandbad nehmen! Bei heißem Sommerwetter ist ein Spaziergang, diesmal aber angeleint, nicht schlecht. Erst wenn er ganz trocken ist, sollten Sie ihn bürsten und kämmen. Ins Weiße kann man ein bißchen weißen Kalkpuder geben, da es gerne einen gelblichen Ton annimmt. Es gibt jetzt auch Sprays im Fachhandel. Dieses muß aber später rigoros ausgebürstet werden. Vor allem bei Hunden, die zur Ausstellung kommen, macht es keinen guten Eindruck, wenn der Richter nach dem Anfassen aussieht, als hätte er seine Hände fürs Reckturnen präpariert! Sehr oft reicht es aber, wenn Sie den Hund mit einem Trockenbadpuder behandeln. Es hat den Vorteil, daß das haareigene Öl nicht ausgewaschen wird.

So komisch es klingen mag, ein frisch gebadeter Hund wird viel schneller schmutzig als einer, der sein Fett noch in den Haaren hat.
Beachten Sie auch die Füße Ihres Hundes. Die Haare zwischen den Ballen schneiden Sie mit einer abgerundeten Schere raus. So bringt Ihnen Ihr Hund auch nicht so viel Dreck in die Wohnung, und bei Schnee ist die Gefahr, daß er dort dicke Eisklumpen bekommt, erheblich geringer. Die Nägel sollten kurz sein, meist läuft sie der Hund aber beim täglichen Spaziergang ab. Sollten sie doch einmal zu lang werden, lassen Sie sie am besten bei Ihrem Tierarzt kürzen. Um eine schöne Rundung um die Füße zu bekommen, müssen Sie auch hier die überstehenden Haare vorsichtig mit den Fingern wegtrimmen oder leicht schneiden, am besten auch mit einer abgerundeten Schere. Dazu bürsten Sie die Haare zuerst hoch und arbeiten etagenweise, also immer wieder einige Haare runterbürsten, nachschneiden, bis alles schön rund aussieht. Dieses machen Sie am vorteilhaftesten, wenn der Hund steht.
Schauen Sie auch die Ohren nach. Sind sie mit braunem Schmalz beschmiert, ist es höchste Zeit, sie zu reinigen. Ich mache dies mit einem in Äther getauchten Wattebausch. Die Ohren des Hundes sind empfindlich, und ich würde raten, wenn es schlimm aussieht, es dem Tierarzt zu zeigen.
Stets sollten Sie auch das Gebiß kontrollieren. Wenn Sie Kalbsknochen und Trockenfisch und Kauknochen geben, so sind die Zähne meist sauber. Doch hin und wieder setzt sich am oberen Rand doch ein dunkler Streifen ab. Nehmen Sie eine alte Zahnbürste mit normaler Zahnpasta oder Antibelagpasta und putzen dem Hund die Zähne. Ist es schlimmer, es gibt im Tierhandel Präparate, die man über acht Tage hinweg mit einem Wattebausch aufträgt. Anschließend läßt sich der Belag mit dem Daumennagel oder der Zahnbürste sehr gut entfernen. In ganz hartnäckigen Fällen muß man auch hier den Tierarzt aufsuchen.

Woran man oft nicht denkt

Ein ganz wichtiger Punkt ist die Reinhaltung des Afters. Schneiden Sie auch hier, nachdem Sie das Haar hochgebürstet haben, rund um die Afteröffnung mit einer runden Schere die Haare kurz. Verklebtes Haar wird ausgewaschen. Hinterher wird das restliche Haar wieder darübergebürstet. Achten Sie nicht darauf, kann es passieren, daß Ihr armer Hund sein Würstchen nicht mehr durch den »Wirrwarr« bringt und

ständig drückend im Garten sitzt. Über dem Schwanzstumpf bildet sich gerne ein dicker Haarklumpen, bürsten Sie diesen in die Höhe und trimmen Sie eventuell mit einer Effelierschere diesen Klumpen vorsichtig auseinander; Strähne für Strähne, so daß es nicht mehr überhängt und nicht mehr so dick ist. Wenn Sie das Haar dann nach oben und zur Seite bürsten, soll er von hinten schön rund aussehen.
Bürsten Sie den Rücken bis kurz vor die Schulterblätter gegen den Strich, soll die Hinterpartie aussehen wie eine überdimensionale Puderquaste und gleichzeitig das beim Bobtail erwünschte Überbautsein der hinteren Partie betonen. Die ausgekämmte Wolle Ihres Hundes läßt sich im übrigen sehr gut verspinnen. Wenn Sie geschickt genug sind, können Sie das selbst machen.
Ich fand in Bayern eine Handweberei, die mir die Wolle, versetzt mit etwas Schafwolle, verspinnt. Auch zu Couchdecken läßt sich die Wolle verweben. Hierzu sollten Sie die sauberen ausgekämmten Haare aufheben, am besten in einem Plastiksack. Die aus Bobtailwolle gestrickten Pullover und Jacken sind enorm warm und erinnern an Angorawolle.
Auf »Crufts Dog Show« in London werden an verschiedenen Ständen aus Bobtailwolle gestrickte Sachen zu ziemlich hohen Preisen verkauft.

Ekzem. Eine juckende, nicht ansteckende Entzündung der Haut. Auch hier meist bedingt durch unsachgemäßes Füttern oder Verfilzung des Haares. Futterumstellung, gute Pflege und der Rat des Tierarztes sind erforderlich.

Allergien. Ab und zu bei Welpen zu beobachten, die zum Beispiel keine Eier vertrugen. Es bildeten sich kleine Pustelchen, die nach Futterumstellung aber wieder verschwanden.

Geschwülste. Gewächse oder Tumoren sind immer Sache des Tierarztes.

Hüftgelenksdysplasie. Auch kurz H. D. genannt, ist eine Veränderung der Gelenkpfannen am Hüftgelenk, die in schweren Fällen zur Lahmheit führt. Erblich bedingt. Die Diagnose ist nur über das Röntgenbild feststellbar.

Ausstellungen

Bedenken Sie, Champion mal Champion gibt noch lange keinen Champion. An Ihnen liegt es, durch gute und richtige Fütterung, Training und Pflege die vorhandenen guten Eigenschaften Ihres Hundes zu fördern und in den Vordergrund zu stellen. Hierzu möchte ich Ihnen einige Tips geben.

Formalitäten

Zuerst beschreibe ich die verschiedenen Ausstellungsarten, die es gegenwärtig gibt: Da gibt es zunächst einmal die Clubschauen, wo nur die Rassen des Clubs für Britische Hütehunde gezeigt werden. Diese Schauen sind sehr geeignet, mit einem noch nicht ausstellungsgewohnten Hund hinzugehen. Hier lernt er den Schaubetrieb am ehesten kennen. Dann als nächstes kommt die Spezial-Clubschau, an der schon eine Portion mehr verlangt wird und wo sehr oft auch das CAC die Anwartschaft für den Landes-Champion (wie Deutscher — Schweizer — Österreichischer Champion usw.) vergeben wird sowie die Anwartschaft für den VDH-Sieger in Deutschland.
Danach kommen die internationalen Ausstellungen, auf denen meist an zwei Tagen alle Hunderassen vertreten sind. Hier müssen Sie aus dem Programm ersehen, an welchem Tage sie zur Ausstellung müssen. Auf diesen Ausstellungen wird auch die Anwartschaft auf den Internationalen Champion vergeben, das heißt das »Certificat d'aptitude au Championnat International de Beauté« (abgekürzt: CACIB). Dieser Titel muß viermal in drei verschiedenen Ländern unter drei verschiedenen Richtern errungen werden. Eines der vier CACIB muß im Land des Wohnsitzes des Eigentümers des Hundes errungen werden oder im Ursprungsland der Rasse. Zwischen der ersten und letzten Auszeichnung muß eine Frist von zwölf Monaten liegen, um den Hund dann bei der FCI für den Titel einreichen zu können.
Wenn Sie die Meldeformulare anfordern, müssen Sie darauf achten, daß die Ausstellung von der FCI (Fédération Cynologique Internationale)

anerkannt und genehmigt ist. Dies ist auf den Anmeldeformularen der der FCI angeschlossenen Vereine deutlich sichtbar vermerkt.
Alle internationalen Hundeausstellungen des Jahres, die von der FCI genehmigt sind, werden in Deutschland im »Rassehund«, in der Schweiz im Schweizer »Hundesport« publiziert. Das Meldeformular sollten Sie gründlich durchlesen, um den Hund dann in der richtigen Klasse zu melden.
Es wird meist folgendermaßen unterschieden: Jugendklasse-Hunde im Alter von neun bis achtzehn Monaten, offene Klasse, hier werden alle Hunde gemeldet, die in keiner anderen Klasse gemeldet werden können oder sollen. Das Alter nach oben spielt in der offenen Klasse keine Rolle, es ist daher auch kein Wunder, daß diese Klasse immer mit der höchsten Meldezahl belegt ist. Hier ist es für die Hunde oft sehr schwierig, sich in den vorderen Rängen zu plazieren.
Die Zuchtklasse gibt es nur auf den clubinternen Ausstellungen, nicht auf den internationalen. Sie sind für Hunde bestimmt, die noch im Besitz des Züchters stehen. Die Siegerklasse ist für Hunde mit anerkanntem Siegertitel wie der »Internationale Schönheitschampion« und so weiter gedacht. Zu erwähnen ist hier noch die Ehrenklasse. Die hier gezeigten Hunde stehen nicht in Konkurrenz zu den anderen Klassen. Voraussetzung ist aber, daß sie schon erste Preise vorweisen können. Zu beachten ist hier noch folgendes: Importhunde müssen oder sollten in dem Land des Wohnsitzes des Besitzers in dem für dieses Land zuständigen Zuchtbuch eingetragen sein.
Wenden Sie sich daher rechtzeitig an die entsprechende Zuchtbuchstelle oder die Spezialclubs, die Ihnen gerne behilflich sind und Ihnen die zu beschreitenden Wege erläutern.

Ringdressur

Unter Ringdressur verstehen wir keine Dressur im herkömmlichen Sinn, sondern: Der Hund sollte anständig an der Leine gehen, und zwar auf Ihrer linken Seite, den Kopf nach oben haben. Wenn es der Richter wünscht, soll er unter Ihrer Anleitung den Paßgang zeigen (auf Tempo achten!), sich ohne Gegenwehr anfassen lassen (bei Rüden auch die Hoden), sich den Fang öffnen lassen, um das Gebiß beurteilen zu können. Es ist daher absolut erforderlich, daß sich Ihr Hund von

Paßgang zeigt »Wodka vom Töpferhof«.

frühester Jugend an sein Gebiß anschauen läßt. Es ist nichts schlimmer anzusehen in einem Ring, als ein Hund, der beim Aufmachen des Fanges Veitstänze vollbringt. Bitten Sie hierzu auch mal einen hundeliebenden Nachbarn usw. Gewöhnen Sie ihn auch frühzeitig an die etwas leichtere Ausstellungsleine. Eventuell gehen Sie mal mit Ihrem Liebling auf einen in der Nähe gelegenen Hundeübungsplatz, da lernt er mit anderen Hunden Kontakt aufzunehmen, und der Übungsleiter wird Ihnen sicher gerne behilflich sein.

Aber auch hier: »Aller Anfang ist schwer« und »es ist noch kein Meister vom Himmel gefallen!« Geduld und Konsequenz ist alles. Schauen Sie Ihren Hund kritisch an, ob er den im Standard gesagten Punkten entspricht, ob er nicht zu fett oder zu dünn, aber auch gut bemuskelt ist. Finden Sie auch mit Hilfe einer zweiten Person heraus, in welchem Tempo Ihr Hund den Paßgang zeigt. Schauen Sie, daß Ihr Hund den Kopf oben hat, wenn er im Ring marschiert. Vielleicht probieren Sie es mit einer kleinen Leckerei in Ihrer Hand.

Kondition

Ein Hund, der auf Ausstellungen gezeigt werden soll, muß immer bezüglich Haarpflege in Ausstellungskondition sein. Sie können keinen verfilzten Hund acht Tage vor einer Schau in Topkondition bringen. Ist er aber Ihrer Meinung nach so in Form, daß Sie meinen, es wagen zu können, so nehmen Sie ihn sich zwei Wochen vor der Schau vor, trimmen alles, was zu trimmen ist. Besehen Sie sich Ohren, Nacken und Schultern, prüfen Sie die Zähne, ob sie sauber sind.

Nach dem Zurechtmachen das Oberhaar leicht in diese Richtung bürsten, damit der Fersenhöcker möglichst niedrig angesetzt erscheint.

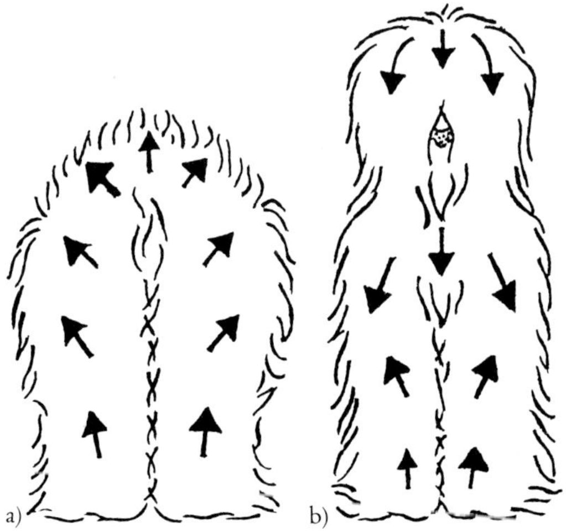

Richtung der Bürstenstriche beim Zurechtmachen, damit das Haarkleid die wünschenswerte Form hervorkehrt.

Bürstenrichtung
a) Hinteransicht
b) Vorderansicht

Wandern, unsere größte Freude...

Braucht er ein ganzes Bad, so ist dies spätestens zehn Tage vor der Ausstellung zu machen, warten Sie zu lange, ist das natürliche Fett des Haares ausgewaschen, das Haar ist zu weich und läßt sich nicht in die von Ihnen gewünschte Form bringen. Die weißen Teile können Sie am Abend vor der Ausstellung nochmals baden, wenn es nötig ist. Doch kommen Sie nie mit einem schmutzigen und ungepflegten Bobtail in den Ring, dies ist keine Werbung für unsere Rasse. Zwei bis drei Tage vor der Ausstellung bürsten Sie Ihren Hund nochmals gut durch, mehr ist bis zum Tag der Ausstellung nicht erforderlich. Erst dort machen Sie ihn, bevor Sie in den Ring gerufen werden, zurecht, wie Sie das zu Hause geübt und wie ich es im Kapitel der Pflege dargestellt habe.

Wir fahren zur Ausstellung

Für die Ausstellung nehmen Sie sich Bürste, Kamm, ein bißchen Trockenshampoon, Frottiertuch, ein Kissen oder Decke, einen Napf und, wenn Sie übernachten müssen, auch noch Futter für Ihren

Liebling mit. Für sich selbst ist es sehr ratsam, Klappstühle mitzunehmen. Der Tag ist lang, wenn man andauernd stehen muß. Vor allem sollten Sie auch bequeme Kleidung tragen, insbesondere gutes Schuhwerk anziehen. Regenschutz nicht vergessen! Oft finden die Ausstellungen im Freien statt. Auf mancher Ausstellung sind die Boxen offen. Hier ist es ratsam, noch eine gute Kette mitzunehmen.
Legen Sie sich am Tag vor der Ausstellung alles bereit, die Ihnen zugeschickte Annahmekarte und den Internationalen Impfpaß, eine Fotokopie der Ahnentafel. Starten Sie früh genug, damit Sie sich nicht abhetzen müssen und nervös werden. Der Hund sollte vor dem Eintritt in die Ausstellung noch mal gut ausgeführt werden, damit er alle seine Bedürfnisse erledigen kann. Müssen Sie längere Zeit warten, bis die Reihe an Ihnen ist, so gehen Sie mit Ihrem Liebling auf dem Ausstellungsareal noch mal raus zum »Hundeklo«. Es ist nicht schön und macht keinen guten Eindruck, wenn Ihr Hund im Ring seine Visitenkarte hinterläßt. Seien Sie nicht nervös, es überträgt sich aufs Tier, es sitzen ja keine Ungeheuer im Ring, und gewinnen kann sowieso nur einer. Wenn Sie es diesmal nicht sind, so geht die Welt nicht unter. Vielleicht reicht es dann auf der nächsten Schau.

Wir sind im Ring

Im Ring selber befolgen Sie genau das, was Ihnen der Richter sagt. Sind Sie fertig, fummeln Sie nicht dauernd an Ihrem Hund herum, gönnen Sie ihm auch einen Moment Ruhe, dann stellen Sie ihn wieder schön hin, wenn Sie merken, daß der Richter Vergleiche ziehen will. Versuchen Sie, Ihr Tier leicht und locker vorzuführen, ohne rohe Gewalt. Überlegen Sie, daß alles hier für ihn auch neu ist und nicht seine gewohnte Umgebung. Und vor allem, auch ein Hund kann mal einen Tag haben, an dem er keine Lust hat. Wir dürfen doch nie vergessen, daß es auch ein Lebewesen ist mit guten und schlechten Tagen und kein Roboter. Seien Sie fair mit Ihren Konkurrenten, sie haben die gleichen Probleme wie Sie, vielleicht meistert ein anderer es diesmal besser und bekommt den ach so begehrten ersten Platz. Dann wäre es nett, und Sie brechen sich keine Zacke aus der Krone, wenn Sie ihm zu seinem Sieg gratulieren. Für Sie bleibt Ihr Hund ja doch der liebste und schönste! Noch eins, füttern Sie Ihren Hund am Morgen des Ausstellungstages nicht, erst wenn alles vorbei ist.

Nun haben Sie auch Zeit, sich mit den anderen Bobtailleuten zu unterhalten, und ich bin sicher, so manche Freundschaft nahm dort ihren Anfang. Sie werden merken, auf jeder Ausstellung, wo auch immer, werden Sie etwas dazulernen, das Ihnen beim nächsten Mal zum Vorteil gereicht.
Zu Ihrer Information möchte ich noch erklären, wie die Beurteilung gehandhabt wird: »Vorzüglich« darf nur einem Hund zuerkannt werden, der dem Idealstandard der Rasse sehr nahekommt, in ausgezeichneter Kondition vorgeführt wird, die typischen Merkmale seines Geschlechtes besitzt, ein harmonisches und ausgeglichenes Wesen ausstrahlt. »Sehr gut« wird dem Hund zuerkannt, der die typischen Merkmale seiner Rasse besitzt, ausgeglichene Proportionen hat und in guter Verfassung ist. Man wird ihm einige Fehler verzeihen, doch auch dieses Prädikat wird nur einem Klassehund verliehen.
»Gut« ist einem Hund zuzuteilen, der die Hauptmerkmale seiner Rasse zwar besitzt, aber einige Fehler aufweist. Diese Hunde sind zur Zucht nicht mehr geeignet. »Befriedigend« wird verteilt, wenn ein Hund, auf den Standard bezogen, schwerwiegende Fehler aufweist, die die Rassekennzeichen gar nicht oder nur wenig zur Erscheinung kommen lassen. Auch diese Hunde sind nicht zur Zucht geeignet.
Ein Hund, der in der Jugendklasse ausgestellt wird, wird als höchste Bewertung »sehr gut« bekommen. Ein Hund in jüngster Klasse auf Spezialzuchtschauen ausgestellt, erhält als beste Bewertung »beachtenswerter Nachwuchs«. Wer diese Bewertungen liest, der kann erkennen, wie hoch die Ansprüche, besonders an die Formwerte »vorzüglich« und »sehr gut«, gestellt werden. Empfinden Sie es deshalb nicht als Katastrophe, wenn Ihr Hund mal mit einem »sehr gut« bewertet wird. Für Sie sollte Ihr Tier — gleich welche Bewertung es erhält, — immer der gute Freund und Kamerad bleiben, das es bis dahin war.

Bobtailzucht — ja oder nein?

Nennen Sie eine Hündin Ihr eigen, so stellt sich vielleicht doch mal die Frage, züchten, ja oder nein? Ich kann Ihnen nur sagen, es muß nicht sein. Unsere Älteste, Internationaler Champion, Donna von St. Fridolin, hat nie in ihrem Leben Welpen gehabt und ist mit ihren nun zwölf Jahren genauso munter und fidel wie unsere jungen.

Vorbedingung

Wollen Sie nun mit Ihrer Hündin oder Ihrem Rüden züchten, so versteht sich von selbst, daß die Hunde in allerbester Kondition sein sollten, nicht zu dick und nicht zu dünn. Vorher müssen sie auf einer Ausstellung gezeigt werden, wo sie auch angekört werden. Hierzu ist eine vorherige Röntgenuntersuchung auf Hüftgelenksdysplasie notwendig. Diese Aufnahme wird an einer Universitätsklinik ausgewertet und das Resultat dem Zuchtbuchamt mitgeteilt, von dem Sie dann Bescheid bekommen, ob Ihr Tier zuchtfähig ist (gleich, ob Rüde oder Hündin).
Bedenken Sie, daß der Bobtail eine große Rasse ist, und ein Wurf von sechs und mehr Welpen keine Seltenheit. Hierfür braucht man Platz, viel Platz. Einen solchen Wurf kann man nicht in einem Badezimmer oder auf dem Balkon großziehen. Denen, die gerne möchten, sei gesagt, daß die Aufzucht eines Bobtailwurfes viel Arbeit macht und man viel persönliche Freiheit opfern muß, wenn man es gut machen will. Die Welpen beanspruchen Sie vor allem ab der vierten bis fünften Woche bis zur Abgabe voll und ganz.
Importhunde, mit denen gezüchtet werden soll, müssen in das Zuchtbuch eingetragen werden, das für das Land des Besitzers zuständig ist. Hier ist beim Kauf des Hundes darauf zu achten, daß die Papiere (Ahnentafeln) von einem der FCI (Fédération Cynologique Internationale) angehörenden Klub ausgestellt worden sind. Beraten Sie sich mit anderen Bobtailzüchtern, die Ihnen gerne aus ihren Erfahrungen heraus helfen werden.
Bobtailhündinnen sollten nicht vor 18 Monaten das erste Mal belegt

werden, ideal ist ab zwei Jahren. Hier sind auch die Reglements der einzelnen Rasseklubs in den deutschsprachigen Ländern zu beachten, die in jeder Hinsicht gerne Auskunft erteilen, auch in der Partnerwahl.
Will man mit einer Hündin züchten, so sollte man sich zur Regel machen, daß der erste Wurf vor dem vierten bis fünften Lebensjahr erfolgen soll. Die Elastizität der Bänder und Gelenke im Bereich des Beckens nimmt im Alter ab, und die Komplikationen bei der Geburt mehren sich. Bis zu welchem Alter eine gute Zuchthündin verwendet werden soll oder besser kann, hängt ganz allein von deren Kondition ab. Ein gewissenhafter Züchter wird hier selbst entscheiden.

Die Hitze

Bobtailhündinnen werden in der Regel mit zehn bis zwölf Monaten das erste Mal läufig, danach in Intervallen von etwa sechs Monaten. Doch die Variationsbreite bei den einzelnen Tieren ist hier ganz verschieden. Wir haben Hündinnen, die fast auf den Tag alle sechs Monate läufig werden, solche, die einmal viereinhalb bis fünf Monate brauchen und solche, die sieben Monate und länger sich Zeit lassen. Hier hilft Ihnen nur, daß sie Ihre Hündin gut beobachten, um ihren speziellen Rhythmus rauszufinden.
Die Hitze dauert etwa 21 Tage. Zuerst merken Sie einen klaren Ausfluß, die Scheide schwillt langsam an, dann beginnt die Blutung. Dieses dauert etwa elf bis zwölf Tage, dann wird der Ausfluß hell oder stoppt ganz. Die Scheide wird etwas kleiner und sieht aus wie ein verschrumpeltes Äpfelchen. Dies ist der Zeitpunkt, an dem die Hündin deckreif ist. Solange sie dunkel blutet, ist nichts zu wollen.
Der sichtbaren Brunst geht eine Vorbrunst voraus, die aber häufig übersehen wird. Rüden merken dies aber bereits am veränderten Körpergeruch der Hündin. Die Hündinnen selber aber setzen in dieser Zeit viel öfter und in kleineren Mengen Harn ab und scharren mit den Hinterbeinen, um eine möglichst große Duftmarke zu setzen. Durch diesen spezifischen Brunstgeruch der Hündin kommt nun auch der (oder die) Rüde(n) in Brunststimmung. Dies ist für Sie das Alarmsignal, besonders auf Ihre Hündin achtzugeben, um keinen unerwünschten Nachwuchs zu erhalten.
Haben Sie nun doch den Wunsch, mit Ihrer Bobtailhündin zu züchten und alle Vorbedingungen erfüllt, so sollten Sie sich nach einem zu Ihrer

Bobtail-Ballett.

Hündin passenden Deckrüden umsehen. Nicht der nächstbeste um die Ecke! Studieren Sie die Stammbäume der einzelnen Tiere, schauen Sie sich — wenn möglich — die Elterntiere an! Und verfallen Sie nicht dem Gedanken, Champion x Champion = Champion! Hierzu verweise ich auf das Buch von Herrn Dr. H. C. Räber »Brevier neuzeitlicher Hundezucht«. Reden Sie dann mit dem Deckrüdenbesitzer, und zwar schon *vor* der Läufigkeit Ihrer Hündin, und sagen Sie ihm, wann es ungefähr soweit ist. Gerade bei Hündinnen, die das erste Mal belegt werden, heißt es ausprobieren, welcher Tag der richtige ist, wann sie steht.
Für Deckrüdenbesitzer ist es auch nicht gerade angenehm, wenn jemand telefoniert und sagt, meine Hündin ist seit 14 Tagen läufig, kann ich heute zum Decken kommen. Oft ist es schon zu spät und die Enttäuschung groß, wenn es nicht klappt. Also planen Sie alles frühzeitig, und oberstes Gebot ist Geduld und nichts forcieren!
Halten Sie sich bitte immer vor Augen, züchten heißt nicht vermehren, sondern die Rasse zu verbessern!

Sommer- oder Winterwurf

Die Hündinnen sind in bezug auf ihre Hitze nicht einheitlich auf Frühjahr oder Herbst festgelegt. So fallen dann auch Würfe über das ganze Jahr verstreut. Doch läßt sich feststellen, daß ein großer Teil der Würfe zwischen März und Mai fällt sowie zwischen Oktober und Dezember. So hat der Züchter die Wahl zwischen Sommer- und Winterwürfen. Einen schlüssigen Beweis dafür, daß — wie oft behauptet — Sommerwürfe gesünder und kräftiger seien, kann ich nicht bestätigen. Wir ziehen seit Jahren Sommer- wie Winterwürfe auf und haben nie irgendwelche Unterschiede im Wachstum und der Vitalität der Welpen und Junghunde feststellen können.
Es gilt hier einfach, folgende Punkte zu überlegen: Bei Winterwürfen brauchen Sie einen heizbaren, gegen Nässe und Kälte gut isolierten Raum. Der Auslauf sollte sonnig sein und rasch trocknen. Sommerwürfe können dagegen ohne Heizung aufgezogen werden. Doch zubereitetes Futter kann vor allem im Hochsommer sehr schnell verderben. Wegen der vielen Fliegen und anderen Insekten müssen Futterreste, aber auch der Kot, möglichst schnell entfernt werden. Sie sehen, beides hat seine Vor- und Nachteile. Für Sie als Züchter jedoch sollte dieser Punkt eine wichtige Rolle spielen: Bei optimaler Haltung und Fütterung werden Ihre Welpen sowohl im Sommer als auch im Winter gut gedeihen.

Mutterglück; Bobtailhündin mit fünf Wochen alten Welpen.

Wir fahren zum Deckrüden

Ist nun der richtige Zeitpunkt gekommen, um mit der Hündin auf Hochzeitsreise zu gehen, der Deckrüdenbesitzer frühzeitig informiert und der Termin abgemacht, so nehmen Sie sich für diesen Tag nichts anderes mehr vor. Nicht immer klappt die Sache auf Anhieb und ist in einer Stunde erledigt. Viele Hündinnen wollen umworben sein. Gerade beim Bobtail haben wir mitunter Schwierigkeiten. Meist liegt es jedoch daran, daß der Termin zu früh oder auch zu spät ist. Sowohl die Hündin als auch der Rüde sollten sich vor dem Deckakt gut entleeren können. Auch sollte man die Tiere nie kurz vorher füttern. Es kommt vor, daß Rüden sich durch die Erregung erbrechen müssen. Manchmal deckt ein Rüde nach dem Erbrechen sofort, es kann aber passieren, daß es mit der Decklust über Stunden vorbei ist.

Ist die Hündin in der Zeit zu früh, wird sie versuchen, den Rüden wütend abzubeißen. Junge Rüden, die eventuell noch nie gedeckt haben, lassen sich dadurch so einschüchtern, daß oft ein Deckakt an diesem Tag

aussichtslos ist. Man sollte daher seine Hündin gut beobachten. Zieht sie den Rücken hoch und trippelt mit den Hinterfüßen, so ist das ein Zeichen, daß sie deckreif ist.
Der Deckakt selber sollte — wenn möglich — im Freien durchgeführt werden. Mit so wenig Personen wie möglich, damit die Tiere nicht abgelenkt werden. Steht die Hündin und steigt der Rüde auf, so ist es gut, die Hündin am Halsband von vorne zu halten, sobald der Rüde sich aufzieht. Viele Rüden lieben es gar nicht, wenn geholfen wird. Dann muß man entsprechend vorsichtig zu Werke gehen. Hängen die Hunde und hat der Rüde abgedreht, so ist es von Vorteil, die Tiere zu halten, ihnen gut zuzusprechen, damit sie nicht auseinanderziehen und sich verletzen können. Dieses Hängen dauert fünf bis 50 Minuten. Während dieser Zeit erfolgt die Samenabgabe des Rüden in drei Phasen. Die eigentliche Samenflüssigkeit ist stark verdünnt mit Sekreten aus der Vorsteherdrüse. Man nimmt an, daß der Rüde ein- bis einkommafünf Milliarden Samenzellen abgibt, von denen etwa sechs bis zwölf zur Verschmelzung mit einer Eizelle kommen.

 Ein Korb voll ungetrübter Lebenslust.

Ich nehme es sogar mit einem Afghanen auf!

Nach dem Lösen des Rüden nimmt man die Hündin angeleint für einen kurzen Gang, auf dem man verhindert, daß sie ein Bächlein macht. Anschließend gibt man ihr wenigstens eine Stunde Ruhe. Ein Nachdecken ist etwa einen Tag später von Vorteil, vor allem, wenn man eine weite Reise zum Rüden gemacht hat.

Die Trächtigkeit

Die Tragzeit beim Hund beträgt im Durchschnitt 63 Tage. Hierzu möchte ich anfügen, daß nach meinen Erfahrungen mit Bobtailhündinnen diese meist früher werfen. Würfe am 59./60. Tag sind keine Seltenheit. Am Anfang der Trächtigkeit bedarf die Hündin keiner besonderen Aufmerksamkeit. Man wird auch die ersten Wochen keine besonderen Veränderungen wahrnehmen. Erst so ab der dritten Woche wird man durch die Verhaltensveränderung der Hündin auf eine Trächtigkeit schließen können. Sie zeigt jetzt ein großes Schlafbedürfnis und legt sich vor allem in den sonnenarmen Zeiten mehr als sonst in die Sonne. In dieser Zeit kann es auch möglich sein, daß sie einige Male

erbricht. Das ist ein Zeichen, daß sich ihr Stoffwechsel den veränderten Bedingungen anpaßt.
Einige meiner Hündinnen fressen um diese Zeit fast gar nichts. Da sie aber in guter Kondition sind, schadet das überhaupt nichts. Sie holen das vor allem in den letzten Wochen der Trächtigkeit immer wieder auf. Oft müssen wir sogar etwas bremsen. Denn eine Überfütterung mit Fettleibigkeit würde die Geburt nicht erleichtern. Daher werden die Hündinnen auch jeden Tag mit auf die Spaziergänge genommen. Erst mit fortschreitender Schwangerschaft werden die Hündinnen von selbst ruhiger.
Alle diese Anzeichen, sogar mit Gewichtszunahme, haben wir auch bei Hündinnen erlebt, die scheinträchtig waren. Bei trächtigen Hündinnen haben wir als ein sicheres Zeichen der Schwangerschaft einen glasigen Ausfluß aus der Scheide ab etwa der vierten Woche beobachtet, der mit Fortschreiten der Trächtigkeit zunimmt. Bei scheinträchtigen Hündinnen beobachteten wir diesen Ausfluß nie. Erst ab der fünften bis sechsten Woche kann man eine zunehmende Leibesfülle konstatieren; bei dem voluminösen Fell des Bobtails ist dies oft sehr schwer zu beurteilen. Nur wer seine Hündinnen wirklich gut kennt, wird die Veränderung feststellen können.
Ab der achten Woche allerdings spürt man beim Auflegen der Hand im Bereich des unteren Rippenbogens, wie sich die Jungen bewegen. Liegt die Hündin komplett entspannt neben Ihnen, so kann man die Bewegungen sehr gut beobachten. Im letzten Drittel der Schwangerschaft erhalten unsere Hündinnen drei Mahlzeiten am Tage, wobei die Fleischrationen nun ordentlich erhöht werden müssen. Im Winter geben wir zusätzlich Vitaminpräparate, wie zum Beispiel Lebertran.
Ungefähr 14 Tage bis drei Wochen vor dem zu erwartenden Wurf ist es gut, den Wurfraum und die Wurfkiste vorzubereiten und die Hündin an diesen Ort zu gewöhnen. Die Wurfkiste sollte so groß sein, daß sich Ihr Bobtail darin voll ausgestreckt hinlegen kann. Die Ränder sollten so hoch sein, daß die Welpen nicht rausfallen können. Der Inhalt der Wurfkiste darf nicht zu weich sein, da es sonst passiert, daß die Bobtailhündin mit ihrem dicken Pelz die Jungen nicht spürt und sich auf sie legt und sie erdrückt. Der Standort der Wurfkiste sollte an einem ruhigen, vor Zugluft geschützten Ort sein. Sie sollten auch einige Tage vor dem Werfen der Bobtailhündin die Haare um die Zitzen abschneiden und das Gesäuge mit einer milden Desinfektionslösung waschen.

Die schönste Beschäftigung in diesem Alter.

Wir verständigen etwa eine Woche vor dem Wurftermin unseren Tierarzt, damit er im Notfall erreichbar ist. Ganz wichtig ist vielleicht auch noch zu sagen, daß wir vor dem Decken sowie in der ersten Hälfte der Trächtigkeit die Hündinnen entwurmen.
Bei nicht tragenden Hündinnen mit eitrigem Ausfluß ist immer der Tierarzt zu konsultieren (Gebärmutterentzündung usw.).

Geburt

Für die Geburt legen Sie sich folgendes zurecht: Ein oder zwei weiche Frottiertücher, eine scharfe Schere, Watte, Desinfektionsmittel, ein Röllchen Nähseide. Etwas zum Schreiben für die Notizen, die eventuell für den Tierarzt wichtig sein können. In der kälteren Jahreszeit eine Rotlichtlampe.
Anhand folgender Beobachtungen kann der Züchter darauf schließen, daß die Geburt bevorsteht: Ungefähr 24 Stunden vor der Geburt verweigert die Hündin jegliche Nahrung. Sie wird unruhig, wechselt

häufig das Lager, versucht Nester zu machen. Oft ändert sich auch ihr Wesen, sie wird besonders gegen andere Hunde aggressiv. Durch die stärkere Durchblutung der Geburtswege ist nun auch die Vulva geschwollen, bei manchen Hündinnen kann es auch schon zur Milchbildung kommen. Unsere Shaggy verliert schon zwei bis drei Tage vor der Geburt Milch, bei unseren anderen Hündinnen schießt erst nach der Geburt des ersten bis zweiten Welpen die Milch ein. Wenn der Schleim aus der Scham sich grünlich färbt, pflegt die Geburt unmittelbar bevorzustehen. Es ist nun selbstverständlich, daß man das Tier in das für es vorbereitete Zimmer bringt, möglichst ohne Zuschauer. Es sollten sich nur die Personen um sie kümmern, mit denen sie eng vertraut ist. Besonders Hündinnen, die das erste Mal werfen, sind oft nervös und unruhig. Hier ist es Ihre Pflicht, das Tier zu beruhigen und selbst die Nerven zu behalten. Dazu sollten Sie aber ein ganz klein wenig über den normalen Geburtsvorgang wissen. Genau wie beim Sexualzyklus wird auch die Geburt unter Beteiligung des Nervensystems im wesentlichen hormonal gesteuert, wobei die dazu erforderlichen Hormone vom Eierstock, der Hypophyse (Hirnanhangdrüse) und der Placenta (Mutterkuchen oder Nachgeburt) geliefert werden.

Die Geburt spielt sich in zwei Phasen ab. Die erste Phase ist die »Eröffnungsphase«, die durch die sogenannten Eröffnungswehen eingeleitet wird. Diese Eröffnungswehen treiben nun den dem Gebärmutterausgang am nächsten gelegenen Welpen (in diesem Stadium noch Föten genannt) in die Geburtswege ein, welche nun durch die mit Fruchtwasser gefüllten Embryonalhüllen langsam erweitert, das heißt eröffnet, werden. Diese Eröffnungsphase dauert ungefähr zwei bis acht Stunden. Es ist dies die Zeit, in der die Hündin meist unruhig ist, winselt, raus will, sich hinlegt, um gleich wieder aufzustehen. Durch Platzen der äußeren Fruchtblasenhülle (Allantois) wird nun mit Scheidenschleim vermischt eine Portion Fruchtwasser ausgepreßt, wodurch die Geburtswege feucht und schlüpfrig werden. Mit dem Einsetzen der Preßwehen wird die zweite Phase, die sogenannte Austrittsphase, eingeleitet. Sobald die Wehen in einem Abstand von ungefähr zehn Minuten kommen, kann mit einem baldigen Austritt des ersten Welpen gerechnet werden. Es sollte jedoch ein bis drei Minuten nach Einsetzen der Preßwehen der erste Welpe gekommen sein. Ich mache mir daher von Anfang an immer Notizen, um im Notfall dem Tierarzt genauen Bescheid geben zu können. Die gesamte Austrittsphase dauert je nach Größe des Wurfes im allgemeinen acht bis zwölf Stunden. Die einzelnen Welpen werden in Abständen von einigen Minuten bis zu ein bis zwei Stunden zur Welt gebracht. Normalerweise werden die Welpen noch innerhalb der inneren Fruchtblasenhülle, des sogenannten Amnions, geboren. Die Fruchtblase wird als erstes in der Vulva sichtbar. Die Hündin wird sich nunmehr vermehrt hinten lecken. Die Austreibung dauert normalerweise nur einige Minuten. Sobald der Welpe geboren ist, wird eine instinktsichere Hündin sofort die den Welpen umgebende Hülle aufreißen und das Junge kräftig lecken. Die Nachgeburt (Placenta), die sich schon während der Preßwehen von der Gebärmutter gelöst hat, wird von der Hündin gefressen. Jeder Welpe hat seine eigene Placenta, sie hängt an der Nabelschnur des Welpen und wird fast gleichzeitig mit diesem ausgestoßen. Die Nabelschnur beißt die Hündin durch. Doch kann es gerade bei Hündinnen, die das erste Mal werfen, passieren, daß sie so mit sich selber beschäftigt sind, daß sie den Welpen einfach liegenlassen. Greift man hier nicht helfend ein, so muß der Welpe ersticken. In diesem Fall nehmen Sie das Junge und reißen mit der Hand die Amnionshülle auf, damit das Neugeborene atmen kann. Oft genügt es, danach der Hündin den Welpen jetzt hinzuhalten, und sie wird das Tierchen

Wer ist der Schönste im ganzen Land?

eifrig lecken. Tut sie das nicht, muß man dem Welpen Nase und Mäulchen mit einem Wattebausch reinigen. Ich lege sie dann in ein weiches Frottiertuch und massiere vorsichtig solange, bis er kräftig schreit.

Bei fast allen meinen Hündinnen hat dieser erste Schrei Wunder gewirkt, und sie haben später alles selbstgemacht. Bei einer unserer Hündinnen passiert es hin und wieder, daß das Amnion schon im Geburtskanal platzt und das Junge ohne das »Säckchen« auf die Welt kommt und scheinbar tot ist. Diese Welpen nehme ich sofort in ein Frottiertuch, säubere Nase und Mäulchen und versuche nun durch eine Schwingbewegung das geschluckte Wasser zu entfernen. Sie nehmen dazu den Welpen eingepackt in das Frottiertuch, aber so, daß der Kopf frei bleibt, in beide Hände, den Rücken des Welpen in Ihrer Handhöhle gebettet und schwingen ihn von Brusthöhe Richtung Fußboden ein- bis dreimal. Fängt er dann an zu »prusten« (röcheln), haben Sie gewonnenes Spiel. Nun wird er ordentlich massiert und gesäubert, bis er richtig laut quiekt. Oft hat auch eine vorsichtige Mund-zu-Mund-Beatmung schon geholfen. Hierzu öffnen Sie zuerst vorsichtig das Mäulchen und ziehen die Zunge heraus, dann legen Sie Ihren Mund über Nase und Mäulchen und blasen vorsichtig. Gleichzeitig pressen Sie leicht die Rippenbögen zusammen, um die Luft wieder auszupressen, und zwar ungefähr viermal in der Minute. Wir haben auf diese Weise schon so manch totgeglaubten Welpen ins Leben gerufen, und ich muß sagen, es erfüllt einen mit soviel Freude, wenn Sie bei Ihrer Mühe dann den ersten leisen Schrei hören, und das Tierchen dann zusehends rosiger wird und seine blaue Farbe verliert. Tote Welpen jedoch sollten Sie Ihrer Hündin wegnehmen, es kann Ihnen sonst passieren, daß sie den Welpen frißt.

Beißt die Hündin — aus welchem Grund auch immer — die Nabelschnur nicht ab, so müssen Sie diese mit einer Schere durchtrennen. Warten Sie bis diese blutleer geworden ist, also weiß erscheint, und schneiden Sie sie dann ungefähr drei Zentimeter vom Bauch entfernt durch. Vorsichtshalber kann man auch noch etwa einen Zentimeter von der Bauchdecke entfernt mit einem Seidenfaden unterbinden. Wir haben allerdings in all unseren Würfen nie einen Welpen durch Verbluten an der Nabelschnur verloren.

Die Placenta ist gerade bei unserer großen Rasse, dem Bobtail, ein wichtiger Hormon- und Vitaminspeicher. Man sollte die Hündin nicht daran hindern, sie zu fressen. Es brauchen ja bei einem großen Wurf nicht alle sein, vor allem, da die Mutterhündin darauf mit Durchfall reagiert. In den Wehenpausen sind die meisten Hündinnen recht froh, wenn man ihnen ein wenig lauwarme Milch, eventuell mit etwas Kaffee, gibt. Ich persönlich mische unter diese Milch etwas Arobon-Nestle, um den durch das Fressen der Nachgeburten hervorgerufenen Durchfall schon von vornherein zu stoppen. Dies mit sehr gutem Erfolg. Ist die Geburt vorbei und alles gutgegangen, so lassen Sie die Hündin mit ihren Welpen, die sie eifrig lecken und putzen wird, in Ruhe. Aber haben Sie hin und wieder ein wachsames Auge auf sie. Nach einigen Stunden sollte man sie dann am besten angeleint, auch gegen ihren Willen, rausführen, damit sie sich säubern kann. In dieser Zeit sollte eine zweite Person die Kinderstube in Ordnung bringen und alles reinigen und trocknen. In diesem Augenblick kann man auch die Welpen schnell mal auf die Waage legen, um dann, vor allem in den ersten Wochen, eine Kontrolle zu haben über das Gedeihen der Kleinen. Noch eins: Sauberkeit ist oberstes Gebot in der Kinderstube!

Wie Sie beim Lesen meiner Ausführungen über die Geburt feststellen konnten, ist es von allergrößter Wichtigkeit, eine Hündin in diesen schweren Stunden nicht sich selbst zu überlassen, sondern bei ihr zu sein, um im Notfalle helfend einspringen zu können. Aber auch bei einer absolut normalen Geburt, in der die Hündin alles selber macht, werden Sie um ein entscheidendes Erlebnis reicher geworden sein. Andererseits ist es immer wieder faszinierend und wunderbar, zu erleben, wie aus einem so kleinen Winzling (das Gewicht bei der Geburt des Bobtails schwankt zwischen 350 bis 700 g je nach Hündin) innerhalb von acht bis zehn Wochen ein richtiger Hund wird.

Schwierige Geburten gehören immer in die Hand des Tierarztes, ein Kaiserschnitt zur rechten Zeit ist heute kein Problem mehr, weder für die Mutterhündin noch für die Welpen. Wir selber hatten bei einer unserer Hündinnen folgendes Erlebnis: Sechs Welpen kamen absolut normal, und wir dachten, die Geburt sei überstanden. Nach neun Stunden stellten sich aber erneut Preßwehen ein mit Abgang von Fruchtwasser. Der sofort hinzugezogene Tierarzt stellte fest, daß der siebte Welpe quer lag. Ein Versuch, den Föten zu wenden, war erfolglos. So kam, schon zur Rettung der Hündin, nur noch der Kaiserschnitt in Frage, der dann noch einen achten, leider aber auch schon toten Welpen, zu Tage brachte. Die Hündin säugte die Jungen bereits im Zustand der abklingenden Narkose und erholte sich in kürzester Zeit von dem Eingriff.

Die Welpen

Ein gesunder Welpe fühlt sich nach 24 Stunden prall und warm an, hat eine laute, energische Stimme und krabbelt zielsicher mit kräftigen Bewegungen der Hinterextremitäten in Richtung seiner Nahrungsquelle, den Zitzen seiner Mutter, die er mit stoßenden Bewegungen der Vorderpfoten melkt. Welpen, die sich schlaff und kühl anfühlen, wie im Zeitlupentempo kriechen und eine dünne Piepsstimme haben, sind Todeskandidaten. Meist werden diese Welpen von der Mutterhündin schon zur Seite geschoben. Solche Welpen künstlich zu ernähren und am Leben zu halten, ist vergebliche Liebesmüh, sie gehen meist nach einigen Tagen von selber ein. Ausmerzen wird man selbstverständlich Welpen, die anatomische Fehler aufweisen wie Spaltnasen, Hasenscharten und Gaumenspalten.

Bekanntlich hat der Hund an der Hinterhand vier Zehen, doch tritt hier gelegentlich die erste Zehe als Afterkralle auf, sogar als doppeltes Gebilde (sogenannter Doppelsporn). Am Vorderlauf sind noch die fünf ursprünglichen Mittelfußknochen vorhanden. Die fünfte Zehe aber sitzt so hoch, daß ihre Kralle beim Laufen den Boden nicht berührt und sich so die Hornscheibe der Nagelkralle nicht abnutzt. Sie wächst oft zu einem langen säbelförmigen Gebilde, das sich mit der Zeit in den Ballen bohren kann und dann dem Hund starke Schmerzen bereitet. Wir entfernen daher beim Bobtail am zweiten oder dritten Lebenstag sowohl die hinteren als auch die vorderen Afterkrallen. Zur gleichen Zeit werden auch die Schwänze kupiert.

Bobtails werden so kurz wie irgendmöglich kupiert und nicht, wie in manchen Büchern zu lesen ist, auf Schwanzlänge von zwei bis vier Zentimetern. Das Kupieren und Entfernen der Afterkrallen wird Ihnen der Tierarzt machen, der bei dieser Gelegenheit auch das Muttertier untersuchen soll, um festzustellen, ob alles in Ordnung ist. Nur sollten Eingriffe an den Welpen nicht in Anwesenheit der Mutter vorgenommen werden, dies versteht sich wohl von selbst.

Wenn die Welpen etwa vier bis fünf Wochen alt sind, ist es sehr wichtig, die Krallen an den Vorderläufen zu kürzen, damit das Gesäuge der Hündin durch die spitzen Nagelenden nicht ganz zerkratzt und wund wird. Man kann dadurch die Säugeperiode um einige Zeit verlängern. Dieses Schneiden nimmt man am besten mit einer Pediküzange vor, wie man sie zum Schneiden der Fußnägel braucht. Man muß aber darauf

Wer spielt mit mir?

achten, nicht zu hoch anzusetzen, beziehungsweise nur im Weißen zu schneiden. Das rote Äderchen, welches gut zu sehen ist, sollte nicht verletzt werden.
Am fünften bis sechsten Tag wird dann bei uns die erste Wurmkur gemacht, die im Alter von drei bis vier Wochen und einige Tage vor dem Impfen wiederholt wird.

Der alternde Hund

Viele Jahre haben Sie jetzt schon mit Ihrem »Bob« Freud und Leid geteilt, und nun merken Sie auf einmal, daß er nicht mehr so unbändig ist wie früher. So mit sechs bis sieben Jahren kommt der Hund in das etwas »gesetztere Alter«. Der eine früher, der andere später. Tragen Sie diesem Umstand Rechnung; auch wir werden ja nicht jünger!
Trotz allem sollte auch der alternde Hund Ihre Aufmerksamkeit genießen, regelmäßiges Spazierengehen, vielleicht nicht mehr allzu große Märsche, gehören ebenso dazu wie eine gute vitaminreiche Nahrung. Unter Umständen geben Sie Ihm lieber am Tage dreimal eine kleine Portion Futter, doch achten Sie darauf, daß Ihr Hund nicht fett wird. Das verkürzt ganz entscheidend seine Lebenserwartung. Jährlich einmal zu einer tierärztlichen Kontrolle ist sicher von Vorteil. Auch in der Haarpflege sollten Sie nun nicht nachlässig werden. Langes Stehen ist für Ihren Liebling, je älter er wird, mühsam. Kürzen Sie das Haar mit der Schere auf ein vernünftiges Maß, dann haben Sie mit wenigen Bürstenstrichen am Tag immer einen noch gut aussehenden Bobtail. Das Tier wird es Ihnen danken. Vor allem auch die Zähne müssen immer wieder kontrolliert werden, ebenso wie die Fußnägel, die sich vielleicht nicht mehr so stark ablaufen wie in früheren Jahren.
Vor Feuchtigkeit und Nässe sollte er nun noch mehr geschützt werden, damit er keinen Rheumatismus bekommt. Doch viel frische Luft und Sonne werden ihm gut tun.
Der Prozeß des Alterns ist aber individuell sehr verschieden und hängt von der Haltung in früheren Jahren ab. So gibt es Bobtailrüden, die mit zehn Jahren noch ohne weiteres zur Zucht genommen werden können. Eine Hündin, die mir bekannt ist, bekam mit neun Jahren noch einen wunderschönen Wurf, den sie ohne Schwierigkeiten aufzog. Allein ausschlaggebend ist hier die Kondition und Konstitution.
Die Ernährung und die Haltung sowie natürlich auch die Pflege wirken sich nun entscheidend aus. Bei einem von Anfang an gut gepflegten und sachgemäß ernährten Bobtail haben Sie auch im Alter noch immer einen schönen Hund, der Temperament bis ins hohe Alter zeigt. Doch muß

man davon ausgehen, daß der Bobtail, wie jeder andere Hund auch, im Alter schlechter hören und sehen kann. Bisweilen kommt es zur völligen Taubheit oder Erblindung. Dies ist aber keineswegs ein Grund, seinen Hund deshalb einschläfern zu lassen. Natürlich braucht ein Hund in diesem Zustand viel Geduld und Verständnis. Aber da beide Leiden meist nicht gemeinsam auftreten, wird sich Ihr Bobtail auf seine Umgebung voll und ganz einstellen. In diesem Zusammenhang möchte ich auch nochmal auf das Kapitel »Ferienprobleme« hinweisen. Bei uns lieben die Hunde das Auto, so nehmen wir, wenn möglich, unsere Hunde mit. Sie bleiben in hundeunfreundlichen Hotels gerne im Auto, dadurch haben wir gar keine Probleme. Allerdings suchen wir meist danach, Unterkünfte zu finden, wo wir die Tiere mitnehmen können. Doch auch bei uns gibt es Situationen, wo dies nicht möglich ist. Zum einen haben wir liebe Freunde, die uns, da wir noch mehr Tiere besitzen, in der Zeit unserer Abwesenheit das Haus mit Inhalt hüten. Zum anderen haben wir das Glück, eine bestens geführte Hundepension in der Nähe zu haben, die nach rechtzeitiger Voranmeldung unsere Hunde aufnimmt.
Sollten Sie Zeit und vor allem auch Platz haben, wäre nun der ideale Augenblick, sich einen zweiten Hund anzuschaffen, gekommen. Denn ein junger Hund hält den alternden jung!

In diesem Fall muß ich Ihnen aber ganz besonders ans Herz legen, daß Sie durch liebevolles Verhalten und viel Verständnis ihrem alten Hund gegenüber den Altersunterschied überbrücken müssen. Obwohl der Bobtail eine langlebige Rasse ist — 15 Jahre sind nicht selten —, wird der Tag kommen, an dem trotz fürsorgender Pflege und Liebe die Altersgebrechen Ihrem Tier so zu schaffen machen, daß auch der Tierarzt nicht mehr helfen kann, außer in einem: ihm die erlösende Spritze zu geben. So schwer der Abschied nach so vielen Jahren ist, zögern Sie bitte nicht und leisten Sie ihm diesen allerletzten Liebesdienst. Vergessen Sie nicht, wie viele frohe und glückliche Stunden Sie mit Ihrem Hund verlebt haben. Seien Sie in den letzten Minuten der treue Begleiter Ihres Hundes, der bis dahin der Ihre war. Sein stetes Vertrauen zu Ihnen sollten Sie in diesem Moment des Abschieds dadurch belohnen, daß Sie bis zuletzt bei ihm bleiben. Sie nehmen ihm auch die Angst vor dem Tierarzt und erstatten ihm dadurch einen Teil seiner Liebe und Anhänglichkeit zurück, die er Ihnen sein ganzes kurzes Hundeleben über gegeben hat. Ich wünsche Ihnen von Herzen, daß dies für Sie noch lange nicht der Fall sein wird.

Ernährung

Artgerechte Ernährung

Den fleischfressenden Ahnen unseres Hundes wird es nicht jeden Tag gelungen sein, ein Beutetier zu erjagen. Bisweilen mußten sie mit Aas vorliebnehmen, wenn ihnen die Natur nicht gar einen Fastentag aufzwang. Fleisch war allerdings nicht ihre einzige Nahrung. Mit den Innereien ihrer meist pflanzenfressenden Opfer verzehrten sie mit Vorliebe auch Magen- und Darminhalt, also vorverdaute Pflanzenkost. Aus den Untersuchungen des Mageninhaltes von Wölfen und Füchsen wissen wir, daß darüber hinaus praktisch alles auf dem Speisezettel stand, was die Natur bot: Früchte, Samen und Gräser, Frösche und Schlangen, selbst Insekten wurden verzehrt. Nur durch diese vielseitige Ernährung

Wo bleibt denn mein Futter?

konnte der Hunger gestillt und der Vitamin- und Mineralstoffbedarf gedeckt werden. Der Hundehalter muß die Grundregel beachten, die sich aus diesen Freßgewohnheiten ableiten läßt: Rohes Fleisch ist die Ernährungsgrundlage, aufgeschlossene Pflanzennahrung sowie Vitamine und Mineralstoffe müssen den Speisenplan ergänzen.
Das Tierschutzgesetz verpflichtet jeden Tierhalter, seinem Tier *angemessene artgemäße Nahrung* zu gewähren. Der Hund darf also nicht als Resteverwerter mißbraucht oder in falsch verstandener Tierliebe mit Süßigkeiten gemästet werden. Der Weg zur Tierquälerei wäre nicht weit: Falsche Ernährung kann Fettsucht, innere Erkrankungen oder Hautkrankheiten verursachen. Ein verständiger Hundehalter wird sich deshalb stets bemühen, seinem Hund ausschließlich die ihm bekömmliche Nahrung anzubieten.

Die Wissenschaft

verdeutlicht die Grundregeln für eine artgemäße Ernährung des Hundes:
Bausteine: Die Nahrung ist aus verschiedenartigen chemischen Bausteinen zusammengesetzt. Fleisch enthält neben Geschmacksstoffen, Salzen und Vitaminen vor allem *Eiweiß,* welches der Hund zum Aufbau eigener Körpersubstanzen unbedingt benötigt. *Fette* dienen als Energielieferanten; zur Erhaltung der Gesundheit müssen ungesättigte Fettsäuren aufgenommen werden. Pflanzliche Nahrungsmittel enthalten neben der für Hunde unverdaulichen Zellulose pflanzliches Eiweiß, Vitamine und Mineralstoffe; wichtigster Bestandteil sind *Kohlehydrate* (Stärke, Zucker), die ebenfalls als Brennstoffe dienen. *Vitamine* sind bekanntlich Stoffe, die im Körper selbst nicht gebildet werden können, aber zur Aufrechterhaltung normaler Körperfunktionen wie Infektionsabwehr, Nervenfunktionen, Blutgerinnung oder für Stoffwechselprozesse unerläßlich sind.
Mineralstoffe und *Spurenelemente* schließlich sind nicht nur zum Knochenaufbau erforderlich, sondern sind maßgeblich an vielen Stoffwechselvorgängen beteiligt. Alle diese Nahrungsbestandteile sind für Wachstum und Gesundheit des Hundes unentbehrlich.
Erhaltung und Leistung: Der Körper befindet sich in einem dauernden Umbau. Altes geht zugrunde und wird durch Neues ersetzt. Zur Erhaltung der Körpersubstanz sind daher Nährstoffe erforderlich. Der wachsende Hund braucht, bezogen auf sein Körpergewicht, mehr

Nahrung als der erwachsene. Unser Bobtail liegt nicht nur hinter dem Ofen. Er spielt, springt, läuft, bellt, hechelt bei Hitze und produziert Wärme, wenn es kalt ist. Diese besonderen Leistungen erfordern eine »Leistungszulage«. Sie besteht vor allem aus Kohlehydraten und Fetten, welche die nötige Energie liefern. Als »Fleischfresser« kann der Hund zwar auch aus Eiweiß Energie gewinnen, die Ausbeute ist jedoch gering (und teuer).

Kalorien: Der Nahrungsbedarf wird als Energiebedarf in *Kalorien* gemessen. Diese Zahl sagt dem Praktiker wenig. Er kann Leistungs- und Erhaltungsbedarf nicht voneinander trennen. Zur Illustration sei angemerkt, daß Dauerarbeit bis zum Vierfachen des Erhaltungswertes erfordern kann. Der Junghund braucht — bezogen auf sein Körpergewicht — zusätzlich zunächst das Doppelte, ab 6. Monat das 1,5fache an Energie. Sehr kalorienreich sind Fette. Relativ leicht verwertbar ist die Energie aus Kohlehydraten. Nährmittel sind viel gehaltvoller als Rohkost. *Eiweiß:* Jedes Futter muß einen Mindestanteil an Eiweiß enthalten. Dieser Anteil ist niedriger, als die Bezeichnung »Fleischfresser« es vermuten läßt. Das Futter des erwachsenen Hundes muß je nach Qualität 20 bis 30 % Fleisch enthalten. Hinzu kommen andere tierische Erzeugnisse und pflanzliches Eiweiß. Während des *Wachstums* muß das Futter mindestens zur Hälfte bis zu zwei Dritteln aus Fleisch und anderen Eiweißstoffen bestehen, während der *Trächtigkeit* sogar zu drei Vierteln. Bei besonderen körperlichen Leistungen kann die Fleischration unverändert bleiben; zugelegt werden kohlehydrat- und fetthaltige Futtermittel.

Die Praxis

In der Praxis steht der Hundehalter vor den Fragen: was, wie, wie oft und wieviel?

Die Futtermittel: Innereien wie Herz, Leberabschnitte, Milz, Nieren, Rinderpansen und -blättermagen sowie sogenanntes Maulfleisch, sonstige Fleischabschnitte und, mit gewissen Einschränkungen, Euter sind ein fast vollwertiger Ersatz für das zu teure Muskelfleisch. Weniger geeignet sind Lunge und Gebärmutter. Besonders wertvoll ist *»grüner Pansen«* (roher, ungereinigter Rindervormagen): Die anhaftenden Futterreste sind bereits teilweise aufgeschlossen und enthalten Vitamine, die aus dem Pflanzenfutter stammen oder im Pansen durch Bakterien gebildet wurden. »Grüner Pansen« sollte daher nach Möglichkeit dem gereinigten und gebrühten »weißen Pansen« vorgezogen werden; Pansen enthält allerdings nicht alle lebenswichtigen Eiweißbausteine. Deshalb müssen auch andere Eiweiß-Futtermittel auf dem Speisezettel stehen. *Rohe Leber* und *rohe Milz* haben eine abführende Wirkung. Sie müssen daher gekocht werden. In kleineren Mengen können sie bei Verstopfung als natürliches Abführmittel eingesetzt werden. *Geflügel*innereien und -teile (ohne Röhrenknochen!) sollten gekocht werden, weil sie gelegentlich Durchfallerreger aus der Gruppe der Salmonellen enthalten. Auch grätenfreies Fischfleisch ist geeignet, solange der Hund eine gesunde Leber hat. Selbstverständlich darf es nicht verdorben sein, um »Fischvergiftungen« zu vermeiden.

Milch enthält eine für das Wachstum besonders geeignete Nährstoffzusammensetzung. Bis zum sechsten Monat kann der Junghund täglich eine mit Milch hergestellte Mahlzeit erhalten. Dann wird die Milch immer stärker verdünnt. Über ein Jahr alte Hunde erhalten keine Milch

Ich bin zufrieden!

mehr, weil das Milchfett und der für Hunde unverdauliche Milchzucker den Darminhalt zu weich halten. Dadurch können Verdauungsstörungen und Hauterkrankungen auftreten. *Magerquark* enthält wertvolles Eiweiß und kann daher den Speisezettel sinnvoll ergänzen, wenn dem Hund der Geschmack zusagt. Auch *Eier* dienen einer ausgewogenen Eiweißversorgung. Rohes Vollei führt allerdings gelegentlich zu Durchfällen. Eigelb allein wird auch roh gut vertragen. Stets bekömmlich sind Rührei und gekochte Eier. *Käse* ist entbehrlich, aber nicht schädlich. Käserinden, Wurstpellen, Geräuchertes und Gewürztes gehören nie in den Hundenapf.

Als *Kohlehydratträger* bieten sich Haferflocken, Graupen und Reis an. Diese pflanzlichen Produkte müssen allerdings gekocht werden. Einfacher ist die Verfütterung von »Hundeflocken«, die aus einem Gemisch getoasteter und dadurch verdaulich gemachter Getreideerzeugnisse mit speziellen Beimengungen bestehen und erfahrungsgemäß allen Hunden gut bekommen. Ein Teil der pflanzlichen Nahrung soll stets aus *Gemüse* bestehen. Die *Vitamin*versorgung kann natürlich nicht ausschließlich aus dem grünen Pansen gedeckt werden. Gehackte Kräuter wie Petersilie oder Kresse, geriebene Äpfel und Mohrrüben, Gemüsesäfte und Bananen sowie Lebertran, Weizenkeimöl und Bierhefe können das Vitaminangebot vervollständigen. Eine sichere und individuelle Dosierung gestatten Vitaminpräparate, die der Tierarzt verordnet.
Für den Junghund ist eine ausreichende Vitamin-D-Versorgung zur Verhütung der Knochenweiche (Rachitis) besonders wichtig. Man hüte sich aber vor Überdosierungen. Auf alle Fälle sollte ein *Mineralstoff*präparat zugefüttert werden. Anstelle der für Vorbeuge und Behandlung des Menschen hergestellten Mittel können die billigeren *»Futterkalk«*-Präparate gewählt werden, die im allgemeinen auch die nötigen *Spurenelemente* enthalten.

Auch *Knochen* enthalten Mineralstoffe. Ihr Wert sollte jedoch nicht überschätzt werden. Sie sind schwer verdaulich und können wegen ihrer stopfenden Wirkung nur in begrenzten Mengen gegeben werden. Dagegen kann ihre Bedeutung für Gebißpflege und -reinigung nicht hoch genug eingeschätzt werden. Knochen, in erster Linie weiche Kalbsknochen, sollten daher vor allem dem jüngeren Hund regelmäßig angeboten werden. Harte Röhrenknochen, insbesondere vom Geflügel, können durch Knochensplitter Darmverletzungen verursachen, während Kotelettknochen sich in der Speiseröhre festsetzen können und daher gemieden werden müssen.

Der Speiseplan

Der Hundehalter hat die Wahl, ob er das Futter selbst zubereitet oder auf Fertigfutter zurückgreift. Mangelschäden braucht er in keinem Fall zu befürchten. Versuche haben gezeigt, daß der Hund ohne weiteres dauernd mit dem gleichen Futter ernährt werden kann, wenn dies optimal zusammengesetzt ist. Er braucht also keine Geschmacksabwechslung.

Eigenrezepte

Bei der Zusammenstellung des Futters »nach Art des Hauses« kann der Anteil eiweißhaltiger Produkte gegenüber den genannten Anteilen erhöht werden. Dies führt möglicherweise zwar zu einem gewissen Luxuskonsum, gibt aber die beruhigende Sicherheit einer ausreichenden Eiweißversorgung. Die Ernährung der *Welpen* bleibt dem Züchter überlassen. Er verfügt allgemein über bewährte Rezepte und wird dem Käufer

First Lady.

Ratschläge für die ersten Tage mit auf den Weg geben. Nach dem Kauf sollte der *Junghund* stets einige Tage in der gewohnten Art weiter gefüttert werden. Die Umstellung fällt ohnehin schwer und kann regelrecht auf den Magen schlagen. Nach der Eingewöhnung aber kann er bald die Nahrung erhalten, die unter den häuslichen Verhältnissen am zweckmäßigsten ist. Dabei sind plötzliche, radikale Veränderungen zu vermeiden und die unterschiedlichen Hundegeschmäcker zu berücksichtigen.

Futterfleisch gibt es heute nicht nur in Futterhandlungen, sondern auch in Zoogeschäften, in den Tiefkühltruhen vieler Supermärkte und in fast allen Fleischereien. Ein hygienebewußter Fleischer wird grünen Pansen abpacken und einfrieren. Der Wert wird dadurch nicht eingeschränkt. Zur Aufbewahrung von Futterfleisch hat sich die Gefriertruhe bewährt; das geschnittene Fleisch wird portionsweise verpackt und in einem zusätzlich verschließbaren Plastikbeutel eingefroren. Wer keine Tiefkühltruhe besitzt, kann den nicht frisch oder roh verfütterten Teil des Fleisches durch Kochen und anschließende Kühllagerung für zwei bis drei Tage haltbar machen. Auf grünen Pansen muß dabei wegen der Wohlgerüche, die sich bei der Erhitzung verbreiten würden, verzichtet werden; die wertvollen Inhaltsstoffe würden durch das Kochen ohnehin geschädigt.

Da der Hund sein Fressen nicht kaut, sondern schlingt, wird das Fleisch in maulgerechte Happen geschnitten und vor dem Füttern durch kurzes Überbrühen erwärmt, wobei es innen roh bleibt. Grüner Pansen sollte daher frisch verfüttert werden. Man sollte seinem Hund wenigstens ab und zu das Vergnügen gönnen, ein größeres Stück nach Urväterart zu zerzausen. Diese natürliche Freßweise ist eine ausgezeichnete Gymnastik für Muskeln und Gebiß.

Als pflanzliches Futter sind *Futterflocken* besonders zu empfehlen, weil sie sehr vielseitig zusammengesetzt sind und ohne Kochen verdaut werden können. Mit dem angebrühten Fleisch und etwas Wasser vermischt, ergeben sie auf einfache Weise eine bekömmliche und gut zusammengesetzte Mahlzeit. Das Futter wird dickbreiig, nie suppig zubereitet. Es darf nie eiskalt gereicht werden. *Gemüse* sollte mit einer Gabel zerdrückt, *Rohkost* muß fein zerkleinert werden. Hülsenfrüchte und Kohl müssen wir allerdings selbst »verwerten«; sie sind für Hunde schwer verdaulich und verursachen Blähungen. Es schadet nichts, wenn diese Essensreste leicht gesalzen sind. Der Hund braucht Kochsalz für eine einwandfreie Nierentätigkeit. *Brot,* insbesondere gut durchgebackenes Roggenbrot, eignet sich vorzüglich als Ergänzungsfutter. Es soll aber nicht eingeweicht werden. Der Futterplan wird durch Hundekuchen sowie die erforderlichen Vitamin- und Mineralstoffgaben vervollständigt. Auf diese Weise ergibt sich bald ein eigenes, auf Haus, Hund und Geldbeutel abgestelltes Spezialrezept, bei dem sich's für den Hund gut leben läßt.

Fertigfutter

Die Eigenproduktion wird in dem Maße, wie die häuslichen Verhältnisse es erfordern und der Gaumen des Hundes es zuläßt, mit Fertigfutter ergänzt. Dieses Futter ist für lange Wochenenden, als Notvorrat und auf Reisen besonders gut geeignet. Der Hund sollte daher in jedem Fall daran gewöhnt werden. Die gegen Fertigfutter bestehenden Vorurteile sind überholt. Durch moderne Konservierungsverfahren werden die Vitamine weniger geschädigt als durch haushaltsübliches Kochen. Fertigfutter entspricht in Eiweißanteil und Zusammensetzung den wissenschaftlichen Erkenntnissen. Auf den Packungen ist die Zusammensetzung angegeben, so daß dem Käufer Vergleichsmöglichkeiten gegeben sind. Nur sehr schwer wird man bei eigenen Futterzubereitungen die Ausgewogenheit des Fertigfutters erreichen. Nur ein Argument kann dagegen vorgebracht werden: Artgemäß frißt der Hund Rohes, nicht Gekochtes.

Dosenfutter wird entweder nur aus tierischen Erzeugnissen oder aber unter Zusatz von stärkehaltigen Nährmitteln hergestellt. Reine »Fleisch«-Konserven sollen durch Zugabe von Flocken, Reis oder Gemüse ergänzt werden. Die Mischerzeugnisse (»Vollnahrung«) haben bereits eine ausgewogene Nährstoffzusammensetzung. Sie enthalten ein Drittel und mehr Eiweiß. Geschwächte, kranke Hunde sollten nicht plötzlich auf Dosenfutter umgestellt werden. Sie reagieren bisweilen mit Durchfall.

Paketfutter besteht entweder aus einem erhitzten, geformten Fleisch-Nährmittelgemisch oder aus einer Mischung von Trockenfleisch mit pflanzlichen Erzeugnissen. Auch diese Futtermittel enthalten ein ausgewogenes Eiweiß-Kohlehydrat-Fett-Verhältnis mit 25 bis 40 % Fleisch. Zu den keks- oder ringförmigen Produkten muß in einem Extranapf Wasser zur beliebigen Aufnahme angeboten werden. Die Fertigfutter-

mischungen werden mit warmem Wasser, mit ungesalzener Fleischbrühe oder bei Junghunden mit Milch zu einem Futterbrei angerührt. Sie werden allgemein gern gefressen und sind gut bekömmlich.
Hundekuchen werden aus pflanzlichen und tierischen »Mehlen« in verschiedenen Größen und Härtegraden hergestellt. Sie sollten in keinem Futterplan fehlen. Zur Pflege der Zähne leisten sie gute Dienste. Bei Junghunden hat es sich bewährt, zur Förderung der nächtlichen Stubenreinheit abends Hundekuchen zu füttern.

Die Ration

Die ernährungsbestimmenden Faktoren können im einzelnen nicht voll erfaßt werden: Neben körperlichen Leistungen, Wachstum, Alter, Größe und Gewicht spielt die individuelle Veranlagung eine wesentliche Rolle. Bei Nutztieren hat man zur Mast besonders geeignete Rassen herausgezüchtet. Beim Menschen gibt es starke Esser, die schlank bleiben und (seltener) Dicke, die wenig essen. Dies hängt unter anderem mit der Funktion der Schilddrüse und der Verdauungsorgane zusammen. So gibt es auch bei Hunden gute und schlechte Futterverwerter. Darüber hinaus beeinflussen Umwelt- und Haltungsbedingungen den Nährstoffbedarf: So ist bei Zwingerhaltung im Winter ein erhöhter Energiebedarf zur Erhaltung der Körperwärme erforderlich.
Besser als die Briefwaage ist daher das Fingerspitzengefühl bei der Zuteilung der Ration. Bei einem mageren Hund kann man unbedenklich etwas Futter zulegen; zeigt sich dagegen Rippenspeck, muß Futter abgezogen werden. Die Rippen dürfen optisch nicht hervortreten, müssen aber mit der flach aufgelegten Hand deutlich fühlbar sein. Bobtail-Welpen erscheinen leicht dicker, als sie tatsächlich sind. Sie sollen etwas Babyspeck haben, um Kinderkrankheiten besser überstehen zu können. Bei regelmäßiger Fütterung fressen sie sich satt, ohne zuviel zu fressen. In jedem Alter erhält der Hund nur das, was er zu der betreffenden Mahlzeit frißt. Auch bei Hunden werden Fresser nicht geboren, sondern erzogen! Den gefüllten Napf läßt man höchstens eine halbe Stunde stehen. Futterreste gehören mit Ausnahme nicht verunreinigten Trockenfutters in den Mülleimer.

Die Autorin gibt zur Fütterung des Bobtails folgende praktische Hinweise:

Mit 8 bis 12 Wochen füttern Sie den Hund, wie Ihr Züchter es Ihnen angegeben hat. Wir füttern folgendermaßen:

Morgens:	Matzinger Flocken in Welpi Lac (Trockenmilch speziell eingestellt für Hunde). Alle 2 Tage ein rohes Ei untermischen.
Mittags: 11.30—12.00 h	Matzinger Flocken mit Hackfleisch, 1 Kaffeelöffel Welpi-Sal (Mineralstoffe).
Nachmittags: 16.00 h	Matzinger Flocken, Hackfleich und Gemüse (Möhren, Äpfel gerieben oder Spinat bzw. Babysäfte aus Möhren von Alete, Hipp usw.).
Abends: 19.30—20.00 h	Matzinger Flocken in Welpi Lac Latz-Welpenkost als Hundekuchen.
Menge: Im Alter von etwa acht bis 10 Wochen	Flocken: ca. 1 bis $1\frac{1}{2}$ Tassen gut voll (je nach Appetit erhöhen), Welpi Lac: 3 gehäufte Eßlöffel auf $\frac{1}{2}$ l warmes Wasser Fleisch: ca. 300—400 g rohes Hackfleisch auf die beiden Fleischmahlzeiten verteilen.

Ab der 12. Woche kann man dann die Abendmahlzeit durch Hundekuchen ersetzen, die anderen Mahlzeiten werden etwas erhöht. Damit Sie eine Kontrolle haben, ob Sie richtig füttern, sollten Sie Ihren Hund jede Woche auf die Waage stellen. Wir rechnen etwa Woche gleich Gewicht, also mit 8 Wochen ca. 8 kg usw. Dabei sind Rüden immer etwas schwerer als Hündinnen. Das Wiegen geht am besten folgendermaßen: Sie stellen sich auf die Personenwaage, nehmen Ihr eigenes Gewicht, dann nehmen Sie den Hund auf den Arm und schon haben Sie sein Gewicht. Sollte mal kein Fleisch vorhanden sein, so kann man auch Quark, gekochten Fisch oder Eier geben.

Das Füttern der Hunde sollte immer zur gleichen Zeit erfolgen. Hunde haben eine innere Uhr in sich, und Ihr Liebling wird sich zu seinen Zeiten auch melden. Die Freßnäpfe sollten gut zu reinigen sein und nach jeder Mahlzeit ausgewaschen werden. Ab der 24. Woche gehen Sie auf zwei Mahlzeiten über und mit ein bis eineinhalb Jahren auf eine Mahlzeit am Tag, die am besten am späten Nachmittag verabreicht wird, wobei natürlich die Portionen erhöht werden. Meine Hunde bekommen allerdings jeden Morgen einen Hundekuchen, dann die Hauptmahlzeit und beim Insbettgehen als Abschluß nochmal einen Hundekuchen oder ein Stück Trockenfisch, der für die Reinhaltung der Zähne sehr von Vorteil ist. Hin und wieder einen guten Kalbsknochen.
Bei der Hauptmahlzeit füttere ich Vollflockenmischung, die in diversen Ausführungen im Handel zu haben sind. Außerdem für den ausgewachsenen Hund 500 g rohes Fleisch, von Zeit zu Zeit ein rohes Ei darunter, außerdem Welpisal. Für ein gutes Haar ist auch die Gabe von einem Eßlöffel Öl, das reich an essentiellen Fettsäuren ist, von Vorteil. In der Zeit von sechs Monaten bis zu zwei Jahren braucht der Bobtail die größte Futtermenge, da es die Zeit der Entwicklung ist.
Das *Trinken* gehört beim Menschen bekanntlich zum Essen. Anders beim Hund: Bei normal feuchter Nahrung trinkt er kaum. Nur bei besonderer Wärme, nach Anstrengungen, zum Trockenfutter und bei altersbedingtem Nachlassen der Nierenfunktion muß er zusätzlich Wasser aufnehmen. Auf jeden Fall trinkt er nur soviel, wie er braucht. Er entwickelt sich nicht zum Gewohnheitstrinker. In einem sauberen Extranapf soll daher ständig frisches verschlagenes (nie eiskaltes) Wasser zur beliebigen Aufnahme angeboten werden. Damit das im Hause etwas hübscher aussieht, kann man Keramikblumentöpfe aufstellen.

Gesundheit

Vorbeugen ist besser als Heilen

Die Ohren sollten zur Verhütung von Entzündungen (Ohrenzwang) etwa alle vier Wochen gereinigt werden. Haarknötchen werden mit einer runden Schere ausgeschnitten. Bei einer Reinigung mit Öl und Wattestäbchen kann das Trommelfell kaum verletzt werden, weil der Gehörgang vorher einen Knick nach innen macht; aber hinter diesem Knick wird dabei das Ohrschmalz leicht zusammengestopft und nicht nach außen befördert. Deshalb ist es besser, den äußeren Gehörgang mit

Typische Bobtailhündin.

einem Ohr-Reinigungsmittel auszuwaschen, das die Ohrschmalzreste löst (Ohrreiniger — Dr. Bode & Co.). Das Mittel wird randvoll eingefüllt. Mit der linken Hand wird die Ohrmuschel zugedrückt, die rechte massiert von außen den Gehörgang. Schmutz und Schmalz werden dann vom Hund selbst hochgeschüttelt und können mit einem Wattebausch abgewischt werden. Es empfiehlt sich, die Ohrreinigung im Freien vorzunehmen. Dunkle Färbung und übel-muffiger Geruch des zutage kommenden Ohrschmalzes deuten auf eine Entzündung hin, die der Hund durch Kopfschütteln und Kratzen selbst anzeigt. Verbreitet sind Entzündungen durch Ohrmilben, die in den Gehörgängen schmarotzen und dabei die Haut reizen und verletzen. Grasgrannen können sich im Gehörgang einklemmen. Bei alten Hunden können Warzen auftreten. Bakterien und Pilze komplizieren die Entzündung. In all diesen Fällen muß der Tierarzt die Behandlung übernehmen.

In den *Augen* bildet sich besonders nach dem Schlaf ein Schleimpfropf. Er wird mit einem Stückchen Mullbinde oder einem Leinenläppchen entfernt. Fusseln von Watte oder Papiertaschentüchern würden die Schleimhäute reizen. Bindehautentzündungen können auch durch Zugluft, Staub oder UV-Strahlen verursacht werden. Zur Linderung sollten frühzeitig Augentropfen in die heruntergezogenen Bindehautsäcke eingebracht werden. Borwasser kann Reizungen verursachen und wird daher heute nicht mehr angewendet. Eitrige oder länger dauernde Entzündungen sind ein Fall für den Tierarzt: Bei gleichzeitig gestörtem Allgemeinbefinden (Appetitlosigkeit, Fieber) kann eine Infektion wie die Staupe vorliegen. Häufig bilden sich auf der Rückseite des dritten Augenlides, der Nickhaut, himbeerartige, entzündliche Wucherungen, die meistens operativ entfernt werden müssen. Bei einer Einstülpung der Augenlider »Entropium« reizen die Wimpern den Augapfel, bei einer Ausstülpung »Ektropium« = offenes Auge fehlt der Schutz des Auges bei gestörter Reinigungsfunktion. Diese Erscheinungen sind nur operativ zu beseitigen.

Zur Pflege der *Zähne* genügen im allgemeinen Hundekuchen und Knochen. Sie machen Reinigungspulver oder Zähneputzen überflüssig. Bei Zahnsteinbildung können die Zähne ein- bis zweimal wöchentlich mit einem Wattebausch abgerieben werden, der mit 3 %iger Wasserstoffsuperoxyd-Lösung getränkt wird. *Zahnstein* ist ein meist fest anhaftender Belag aus Salzen und Speiseresten, der besonders beim älteren Hund Entzündungen mit fauligem Mundgeruch verursacht und zu

Vereiterungen der Zahnwurzeln und zu Zahnausfall führen kann. Solche Eiterherde können den ganzen Körper vergiften. Zahnstein sollte daher rechtzeitig entfernt werden. Lose Zähne müssen gezogen werden. Da der Hund keine Beute jagen, festhalten oder zerreißen muß, kann er auf schmerzende Zähne gut verzichten. Er wird sich nach der Entfernung der Eiterherde bald wohler fühlen. *Milch-Hakenzähne,* die beim Zahnwechsel nicht ausfallen, müssen gezogen werden, da sie zu Stellungsfehlern im bleibenden Gebiß führen können.
Rutschen auf dem Hinterteil ist meistens nicht auf Würmer, sondern auf Erkrankungen der *Analbeutel* zurückzuführen. Diese »Duftdrüsen« dienen eigentlich zur Revierkennzeichnung. Infolge der Domestikation funktioniert die Entleerung häufig nicht mehr richtig. Sekretstauungen und Entzündungen mit starkem Juckreiz sind die Folge. Diesen Juckreiz versucht der Hund erfolglos durch »Schlittenfahren« und Knabbern an Hinterläufen und Kruppe zu beheben. Die Analbeutel müssen daher durch Menschenhand entleert werden: Es wird beiderseits des hervortretenden Afters Druck auf den Enddarm ausgeübt; zum Auffangen des austretenden, stinkenden Sekrets muß dabei Watte oder Papier vor den After gehalten werden. Bei tiefliegenden oder stark entzündeten Drüsen ist eine tierärztliche Lokalbehandlung erforderlich. Normaler Auslauf macht ein Schneiden der Krallen überflüssig. Nur bei weichem Boden, bei krankhaftem Hornwachstum und bei Stellungsfehlern ist ein Kürzen erforderlich. Das sollte erfahrenen Personen überlassen bleiben, weil das in der Kralle verlaufende Blutgefäß nach Möglichkeit nicht angeschnitten werden soll. Afterkrallen sollten beim Bobtail vorne und hinten zusammen mit der Rute kupiert werden, da sie zu stark blutenden Verletzungen führen können. Im Winter müssen Streusalzreste nach dem Spaziergang von den Pfoten abgewaschen werden. Sie verursachen schmerzhafte Entzündungen. Die Ballen und Zehen werden mit Puder eingestäubt, ausgetrocknete rissige Ballen mit einer Fettsalbe eingerieben.

Ungebetene Gäste im Fell

sind *Hundeflöhe* und *Läuse.* Bei Juckreiz müssen als erstes Fell und Haut auf Parasitenkot (schwarze Pünktchen an den Haaren) und Flohstiche abgesucht werden. Lieblingssitze von Flöhen und Läusen sind die Innenflächen der Hinterschenkel, die »Achselhöhlen« und die Ohrmuscheln. Zur Abtötung der »Ektoparasiten« können Puder, Sprays oder

Waschlösungen (am wirksamsten) angewandt werden. Die Gebrauchsanweisungen sind genau zu beachten, da das Ablecken der Mittel zu Vergiftungen führen kann. Für etwa drei Monate kann der Hund auch durch »Anti-Floh-Halsbänder« gegen Parasiten geschützt werden. Diese Halsbänder geben aufgrund der Körperwärme ständig einen Wirkstoff ab. In engen Räumen (Hundehütte) kann daher eine auch für den Hund bedenkliche Konzentration des Giftes auftreten. Im Wald und auf der Heide lassen sich *Zecken* aus dem Unterholz auf den Hund fallen. Sie beißen sich in der Haut fest und saugen erhebliche Blutmengen. Schließlich sehen sie aus wie ein prallgefülltes, bis zu kirschkerngroßes, braunes Säckchen. Diese »Holzböcke« dürfen nicht einfach abgerissen werden, weil dann die Beißwerkzeuge in der Haut steckenbleiben und Entzündungen verursachen. Man betäubt sie mit Alkohol oder hüllt sie etwa zehn Minuten in Öl ein. Dann werden sie mit vorsichtig drehendem Zug aus der Haut entfernt. Einfach und wirkungsvoll werden Zecken und andere Ektoparasiten durch einen desinfizierenden Spray abgetötet, der pflanzliche insektizide Substanzen enthält, die schnell zerfallen und für Säugetiere unbedenklich sind (Baktazol).

Unerwünschte Kostgänger

Fast alle Welpen werden schon im Mutterleib mit *Spulwürmern* infiziert. Sie sollten daher bei Abgabe durch den Züchter bereits Wurmkuren hinter sich haben. Spulwürmer können bei Junghunden zu Verdauungs- und Entwicklungsstörungen und zu Vergiftungen führen. Vorsichtshalber können Wurmkuren nach drei, sechs und zwölf Monaten wiederholt werden. Vertrauen Sie dabei den wirksamen, verschreibungspflichtigen Mitteln; rohe Möhren alleine können keine Wurmfreiheit garantieren. Ältere Hunde beherbergen im allgemeinen nur noch vereinzelte oder gar keine Spulwürmer, da sie Abwehrstoffe gebildet haben. Für chronische Verdauungsbeschwerden wie regelmäßig wiederkehrender oder unstillbarer Durchfall können andere Darmschmarotzer — Kokzidien (einzellige Schleimhautparasiten), Hakenwürmer oder Peitschenwürmer — verantwortlich sein. Eine Kotuntersuchung kann näheren Aufschluß geben; die Behandlung muß nach tierärztlicher Verordnung erfolgen.

Kürbiskernförmige, anfangs noch bewegliche Gebilde im Stuhl sind Glieder des *Hundebandwurmes.* Bandwürmer brauchen für ihre Entwicklung einen Zwischenwirt. Für den Hundebandwurm ist dies der

Hundefloh, der die Bandwurmeier aufnimmt. Im Floh entwickelt sich die Finne, die beim »Flohknacken« vom Hund aufgenommen wird und zum fertigen Bandwurm auswächst. Im Zuge der tierärztlich verordneten Bandwurmkur müssen Hund und Lager daher auch gegen Ektoparasiten behandelt werden. Besonders bei Jagdhunden kann außerdem der gesägte Bandwurm auftreten, dessen Zwischenwirte Hasen und Kaninchen sind. Andere Bandwurmarten, die durch Fisch, Rinder- und Schafeingeweide oder Mäuse und Ratten übertragen werden, kommen seltener vor.

Der Impfplan

Infektionserreger bedrohen Gesundheit und Leben des Hundes. *Staupe* und *ansteckende Leberentzündung* sind Viruserkrankungen, die zwar für Junghunde besonders gefährlich sind, aber auch ältere Hunde befallen. Die früher übliche einmalige Impfung der Junghunde ist heute nicht mehr ausreichend. Da die Krankheiten seltener geworden sind, fehlt der häufige Kontakt mit den Erregern und damit die natürliche Auffrischung des Impfschutzes. Der Käufer eines Hundes muß im Impfpaß prüfen, ob der Hund nicht etwa nur einen »passiven« Serumschutz für zwei bis drei Wochen erhalten hat. In diesem Fall müßte zweimal »aktiv« nachgeimpft werden.

Kopfstudie des Weltjugendsiegers »Mike of Shepton«.

Die *Stuttgarter Hundeseuche* ist eine durch Bakterien (Leptospiren) hervorgerufene und von Hund zu Hund übertragbare Seuche. Die meisten Impfstoffe schützen gleichzeitig gegen den Erreger der Weil'schen Krankheit, die durch Mäuse- und Rattenharn übertragen wird. Schließlich kann und soll der Hund gegen *Tollwut* geimpft werden. Die modernen Impfstoffe sind für Hunde außerordentlich gut verträglich. Sie vermitteln einen ein- bis zweijährigen Impfschutz. An die Bedeutung der Impfung in Seuchen-Verdachtsfällen, für Ausstellungen und Auslandsreisen und nicht zuletzt zum Schutze des Menschen sei an dieser Stelle erinnert. Nur gesunde Hunde bilden einen ausreichenden Impfschutz. Deshalb müssen Welpen und Junghunde vorher entwurmt werden. Kranke Hunde sind von der Impfung zurückzustellen. Nach der Impfung sollte das Futter zwei Wochen lang besonders hochwertiges Eiweiß wie Ei, Quark, Muskelfleisch, Herz enthalten.

Man unterscheidet: die Impfung gegen *Staupe* (S), die Impfung gegen *Leptospirose* (L), die Doppelimpfung gegen *Staupe* und *Hepatitis* (SH), die Dreifachimpfung gegen alle genannten *Infektionen* (SHL), die Vierfachimpfung *(SHL* und *Tollwut)* und die Impfung gegen *Tollwut* (T).

Folgender *Impfplan* gibt die Gewißheit, daß der Hund ausreichend geschützt ist:

Alter:	7 Wo.	12 Wo.	4 Mon.	1, 3, 7, 9 Jahre	2, 4, 6, 8 Jahre
Impfung:	SHL	SHL	T	SHL T	L T

Erste Hilfe tut not

Bei *Unfällen* ist Ruhe die erste Bürgerpflicht. Bei bedrohlich erscheinenden Situationen wird umgehend ein Tierarzt aufgesucht. Er sollte telefonisch verständigt werden, um die erforderlichen Vorbereitungen treffen zu können. Das Telefonat erspart möglicherweise vergebliche Wege und damit wertvolle Zeit. Erste Hilfe wird nur geleistet, wenn sie unumgänglich ist, nicht länger als der Weg zum Tierarzt dauert oder alleine ausreichende Hilfe verspricht. Bei *oberflächlichen Hautverletzungen* werden in der Umgebung die Haare mit einer gebogenen Schere abgeschnitten. Sie verkleben sonst mit dem Wundsekret und verursachen Eiterungen. Abschürfungen werden mit einem Wundgel bestrichen. Puder bildet mit dem Wundsekret Krusten, welche die Heilung beeinträchtigen. Bei Durchtrennung der Haut sollte umgehend tierärztlicher Rat eingeholt werden, weil die Wunde nur in den ersten Stunden mit Aussicht auf komplikationslose Heilung genäht werden kann. Bei Beißereien und Stacheldrahtverletzungen wird häufig die Haut vom Körper abgerissen, so daß tiefe Taschen entstehen. Sie müssen sachgerecht versorgt werden. Verletzungen können bis zur endgültigen tierärztlichen Versorgung mit einem Notverband ohne Puder oder Salbe geschützt werden. Durch Belecken wird die Wundheilung nicht gefördert, sondert behindert. Wundsekrete werden zwar entfernt, mit ihnen aber auch die zarten Heilungszellen am Wundrand. Das Belecken von Wunden und das Abreißen von Verbänden kann durch einen Halskragen verhindert werden:

Aus einem Plastikeimer wird der Boden herausgeschnitten. Die Kanten werden abgepolstert und Löcher gebohrt. Mit Bindfäden wird die Manschette (die große Öffnung zur Nase hin) am Lederhalsband festgebunden.

Zerschellte Glasflaschen sind häufig Ursache stark blutender Pfotenverletzungen. Der Lauf wird erforderlichenfalls so stark abgebunden, bis kein Blut mehr austritt. In halbstündlichem Abstand ist die Abbindung kurz zu lösen. Umgehend wird der Tierarzt aufgesucht, denn meistens ist Naht oder Verband erforderlich.

Gehirnerschütterungen und innere Verletzungen können zu *Bewußtseinstrübungen* führen. In diesem Falle darf nie Flüssigkeit eingeflößt werden. Die Maulschleimhaut kann zur Anregung der Herztätigkeit mit Kaffee oder Tee befeuchtet werden. Der Hund wird seitlich mit tiefliegendem Kopf und herausgezogener Zunge auf einer Decke gelagert, die als »Tragbahre« dient. Diese *Hängemattentrage* gestattet auch einen schonenden Transport bei *Knochenbrüchen.* Ein entsprechender Verdacht liegt nahe, wenn ein Bein überhaupt nicht belastet wird und abnorm beweglich ist. Wenn der Tierarzt nicht schnell erreichbar ist, hält eine Notschienung den Bruch ruhig und verringert die Schmerzen, zum Beispiel Pullover oder Watte zum Abpolstern — zur Kühlung mit kaltem Wasser durchnäßt—, zwei Stöcke zum Versteifen, Tuch, Binden oder Leukoplast zum Fixieren. Bei *Lahmheiten* wird als erstes die Pfote untersucht. Dornen oder Splitter werden mit einer Pinzette herausgezogen. Verfilzte Haare zwischen den Ballen werden vorsichtig abgeschnitten; sie drücken wie ein Stein im Schuh. Eine eingerissene Kralle schmerzt stark; der lose Teil sollte beherzt abgeschnitten oder ein Notverband angelegt werden. Wunde Stellen werden mit Heilsalbe behandelt. Bei Krallenbettentzündungen können warme Seifenbäder Linderung bringen, häufig ist jedoch ein Verband erforderlich. Unsachgemäß angelegte Pfotenverbände können böse Hautwunden verursachen. Man sollte sie dem Fachmann überlassen. Bei *Schwellungen, Prellungen* und *Verstauchungen* kann das Fell des betroffenen Körperteils mit kaltem Wasser durchnäßt werden. Das wirkt wie ein Kühlverband, hemmt weitere Schwellungen und lindert den Schmerz. In leichteren Fällen kann tierärztliche Hilfe entbehrlich werden. *Vergiftungen* beruhen meistens auf Unachtsamkeit des Menschen oder Freßlust des Hundes. Absichtliche Vergiftungen gehören zu den absoluten Ausnahmen. Giftig sind insbesondere *Rattengift* (Cumarin, Thallium, Zinkphosphid, Arsen), *Schädlingsbekämpfungsmittel* (Phosphorsäureester,

»Argos« trainiert für die Schutzhundprüfung.

E 605, Castrix-Giftkörner), *Schneckenbekämpfungsmittel* (Meta-Hartspiritus) und *Frostschutzmittel* (zum Beispiel Glysantin), von Strychnin und Blausäure ganz zu schweigen — sie sind so giftig, daß meistens jede Hilfe zu spät kommt, werden aber kaum noch angewendet.

Vergiftungsverdacht ist begründet, wenn plötzlich Erbrechen und Durchfall bei zunehmender Mattigkeit auftreten. Vergiftungen sind immer lebensbedrohend, selbst wenn das erste Stadium überstanden ist. Häufig treten Spätschäden an Leber, Nieren oder Haut auf, die erst eine genaue Unterscheidung und gezielte Behandlung ermöglichen. Die Überlebenschancen sind erheblich höher, wenn die Giftart von vornherein bekannt ist. (Packung, Beschreibung und dergleichen mit zum Tierarzt nehmen.) Lebensrettend kann eine rasche Hilfe sein. Es muß versucht werden, das Gift aus dem Magen herauszubefördern, bevor es in den Körper übergeht. Zu diesem Zweck werden dem Hund zwei bis drei Teelöffel Salz eingegeben (Fang aufhalten und Salz hinter den Zungengrund löffeln, dann Kopf hoch- und Fang zuhalten). Das wird in den meisten Fällen Erbrechen auslösen. Vor Milch sei als Gegengift gewarnt, weil verschiedene Gifte fettlöslich sind. Zur Bindung von Giftresten ist eine Aufschwemmung von 6 bis 10 Kohlekompretten besser geeignet. Sie wird dem Hund nach dem Erbrechen eingeflößt.

Zur Ersten Hilfe im weiteren Sinne kann man die Behandlung bekannter, einfacher Störungen rechnen. Sie müssen von ernsthaften Erkrankungen, die tierärztliche Behandlung erfordern, unterschieden werden. Wichtigstes Instrument dazu ist das *Fieberthermometer.* Die *Hundenase* ist kein geeignetes Hilfsmittel. Sie kann auch beim gesunden Hund bisweilen warm und trocken und bei schwerer Erkrankung feuchtkalt sein. Die innere Körpertemperatur des Hundes wird drei bis fünf Minuten im Mastdarm gemessen. Sie beträgt 38 bis 39 °C. Steigt die Quecksilbersäule höher, so muß der Hund in tierärztliche Behandlung.

Erkältungen wie beim Menschen treten beim Hund selten auf. Entsprechende Erscheinungen beruhen meist auf Infektionen. Bei erhöhter Temperatur könnte zum Beispiel Staupe oder Zwingerhusten vorliegen. Eitriger Nasenausfluß ist stets ein Alarmzeichen. Ein hustenähnliches Krächzen (»als ob ein Knochen im Hals säße«) deutet meistens auf eine Mandelentzündung hin. Bei erschwerter Atmung wird die Lunge beteiligt sein. Bei alten Hunden kann auch Herzschwäche zu chronischem Husten führen. »Erkältungen« sind also kein Fall für die Hausapotheke.

Verdauungsstörungen lassen sich dagegen häufig durch Diät-Maßnahmen beheben. Bei hartem Stuhl können rohe Leber oder Milz oder drei bis fünf Teelöffel 10%ige Dosenmilch als milde Abführmittel gegeben werden. Bei reichlicher Knochenfütterung kann der Knochenschrot im Mastdarm eine so hartnäckige Verstopfung verursachen, daß auch stärkste Abführmittel nicht helfen, sondern Einläufe unter tierärztlicher Kontrolle erforderlich werden.

Durchfall ohne Fieber ist häufig durch einen Fastentag zu bessern, an dem der Hund ausschließlich verdünnten schwarzen oder Pfefferminztee mit einer kleinen Prise Salz erhält. Keinesfalls darf versucht werden, Durchfall durch Wasserentzug zu behandeln. Der Körper würde infolge des Flüssigkeitsverlustes austrocknen. Eine weitere Normalisierung des Stuhlganges kann durch mehrmalige Fütterung kleiner Mengen eines Futterbreis aus Beefsteakhack, Schmelzflocken und rohem geriebenem Apfel mit zwei bis drei Kohlekompretten erreicht werden. Mexaform und ähnliche Mittel dürfen beim Hund nicht angewendet werden. Sie können unstillbare Nierenblutungen verursachen. Wenn ein Durchfall in zwei bis drei Tagen nicht deutlich gebessert wird oder von Fieber begleitet ist, muß der Hund in tierärztliche Behandlung. *Erbrechen* ist keine selbständige Krankheit, sondern kann verschiedene Ursachen haben. Gelegentliches Erbrechen ist beim Hund ohne große Bedeutung. Bei Fieber sowie regelmäßig wiederkehrendem oder heftigem Brechreiz können Infektionen, Wurmbefall, Vergiftungen oder schwere Verdauungsstörungen vorliegen.

Kleine Hausapotheke für den Hund

Zur Pflege, Vorbeuge und Ersten Hilfe sollten einige Instrumente und Medikamente bereitgehalten werden. Sie sind kindersicher, kühl und trocken aufzubewahren. Wenn unser Hund zu Reisekrankheit oder zu

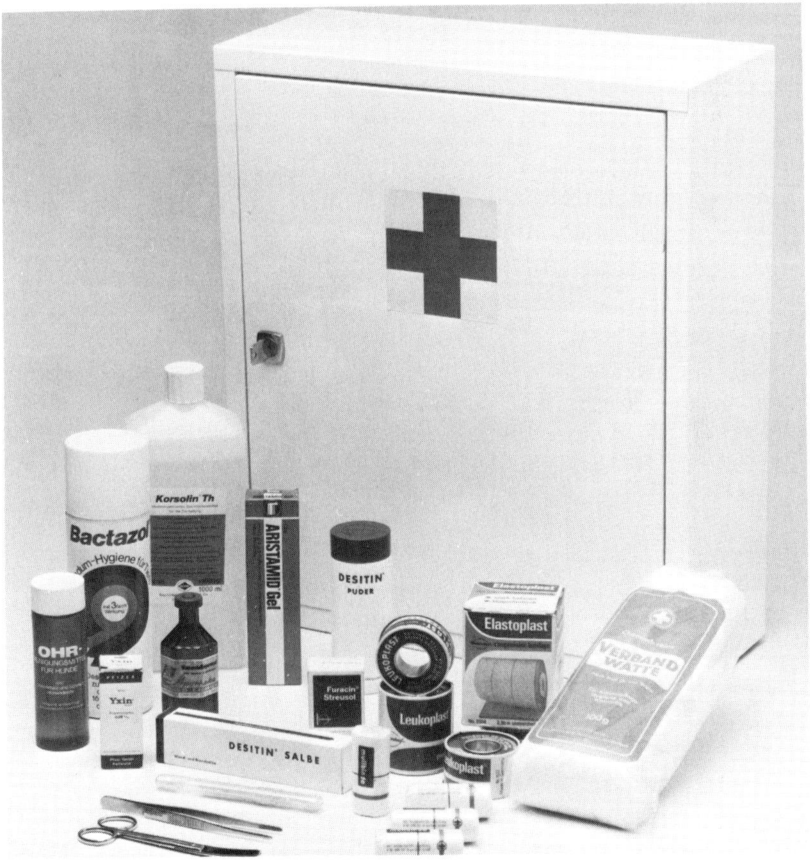

Hausapotheke.

Verdauungsstörungen neigt oder unter Rheuma leidet, werden zusätzlich die tierärztlich verordneten Mittel vorrätig gehalten, um schnell Hilfe leisten zu können. Vitamin- und Mineralstoffpräparate werden dort aufbewahrt, wo sie gebraucht werden: in der »Futterküche«.

Alarmzeichen

Im Rahmen dieses Buches können unmöglich Ursachen und Erscheinungen der wichtigsten Hundekrankheiten auch nur annähernd vollständig beschrieben werden. Über die bereits an anderen Stellen gegebenen Hinweise hinaus sollen aber stichwortartig wenigstens die Anzeichen schwerer, bisher nicht erwähnter Krankheiten aufgeführt werden, deren Kenntnis unter Umständen lebensrettend sein kann:

Für einen Darmverschluß oder einen Fremdkörper im Darm sprechen Erbrechen und zunehmende Mattigkeit ohne Kotabsatz. Alarmstufe I besteht bei Kolik mit Aufblähung des Bauches durch eine Magendrehung. Wenn der Bauch allmählich dicker wird, können Bauchhöhlenwassersucht, Gebärmuttervereiterung oder Tumoren die Ursache sein. Unstillbarer Durst mit oder ohne Scheidenausfluß läßt bei der älteren Hündin an eine Gebärmuttererkrankung denken. Vermehrter Durst kann auch durch Nierenerkrankungen hervorgerufen werden; wenn Mattigkeit und Mundgeruch hinzukommen, ist meistens bereits eine Harnvergiftung eingetreten. Diese Erscheinungen sind auch bei der Stuttgarter Hundeseuche zu beobachten. Auch wenn kein Harn abgesetzt wird (Harnsteine, Blasenriß, Vergiftung), besteht höchste Gefahr. Blutbeimengungen in Kot oder Urin zeigen schwerwiegende krankhafte Zustände an. Vermehrter Speichelfluß wird im harmlosesten Fall durch Fremdkörper in der Maulhöhle oder lose Zähne ausgelöst, bedenklicher wäre eine E-605-Vergiftung, schlimmstenfalls wäre an eine Tollwutinfektion zu denken. Die Färbung der Schleimhäute am Auge, im Fang und in der Scheide gibt wertvolle Hinweise auf innere Erkrankungen: Blässe deutet auf Blutarmut hin, Gelbfärbung auf Leberschäden mit Gelbsucht, punktförmige oder flächige Blutungen auf schwere Infektionen oder Vergiftungen mit verzögerter Blutgerinnung, und eine bläuliche Färbung tritt bei Herz- und Kreislaufschäden auf. Wenn gleichzeitig erschwerte pumpende Atmung mit Aufblähen der Backen zu beobachten ist, besteht höchste Lebensgefahr. Bei nicht abklingenden Lahmheiten der Vorhand muß der Tierarzt röntgenologisch klären, ob eine Ablösung des Ellenbogenhöckers vorliegt. Schmerzhafte Knochenauftreibungen mit Fieber bei Junghunden müssen intensiv behandelt werden.

Zehn Tips für den Besuch beim Tierarzt

1 Nach Möglichkeit sollte der Hund in der Praxis des Tierarztes vorgestellt werden. Dort kann eine Erkrankung besser erkannt und behandelt werden.

2 Bei Verdacht auf ansteckende Krankheiten lassen Sie sich aber vom Tierarzt einen Sondertermin geben oder bitten Sie ihn um einen Hausbesuch, um andere Hunde im Wartezimmer nicht anzustecken.

3 Mit einem unruhigen Hund wartet man besser im Auto, bis man an der Reihe ist.

4 Der Hund muß systematisch dazu erzogen werden, sich untersuchen zu lassen. Manipulationen an den Ohren, Öffnen des Fanges, Fiebermessen können geübt werden! Auf dem Untersuchungstisch muß der Hund beruhigt werden. Dazu müssen Sie selbst ruhig bleiben, erforderlichenfalls aber auch energisch werden.

5 Der Hund kann nicht sprechen. Daher müssen Sie Krankheitserscheinungen und -dauer genau schildern. Das erleichtert dem Tierarzt die Diagnose.

6 Bei Verdauungsstörungen ist die Beschaffenheit des Kotes genau zu beschreiben. Es ist nie verkehrt, eine Kotprobe, abgegangene Würmer oder Fremdkörper mitzunehmen.

7 Bei Verdacht auf innere Erkrankungen kann vorsorglich auch eine in einem sauberen Gefäß aufgefangene Harnprobe mitgenommen werden.

8 Bringen Sie auch den Impfpaß mit!

9 Notieren Sie die Behandlungsanweisungen; erfahrungsgemäß wird vieles nach der Aufregung des Tierarztbesuches leicht vergessen oder verwechselt.

10 Denken Sie auch an den Stolz der Dame des Tierarzthauses: Verwehren Sie Ihrem Rüden das Beinheben an den Ziersträuchern im Vorgarten nach dem Verlassen der Praxis.

Die haben doch wohl nicht mich gemeint!

Gefahren für die menschliche Gesundheit?

Hygiene- und gesundheitsbewußte Mitmenschen befürchten, daß ein Hund Krankheiten ins Haus bringt. Große Furcht flößt die *Tollwut* ein. Tatsächlich besteht auch heute noch für den von einem tollwütigen Tier gebissenen Menschen höchste Lebensgefahr. Bei Hunden tritt Tollwut allerdings nur noch selten auf. Die Seuche hat sich aus den Städten (Hunde und Katzen) mehr in die Wälder (Wild) verlagert, wo in erster Linie Füchse die Tollwut übertragen. Bei Hundetollwut besteht wegen des engen Kontaktes jedoch für den Menschen eine erheblich größere Ansteckungsgefahr als bei Wildtollwut.

Staupe und ansteckende Leberentzündung sind für Menschen ungefährlich. Hunde können aber *Leptospiren* übertragen, die beim Menschen entweder das »Canicola-Fieber« (beim Hund »Stuttgarter Hundeseuche«) oder die »Weil'sche Krankheit« hervorrufen. Diese Infektionsgefahren werden durch regelmäßige Impfungen des Hundes ausgeschaltet.

Für die Übertragung der *Toxoplasmose,* einer besonders für schwangere Frauen gefährliche Infektionskrankheit, wurde der Hund früher zu Unrecht verantwortlich gemacht. Toxoplasmen sind einzellige Schmarotzer. Ihr »Stammwirt« ist die Katze. Sie scheidet den Erreger aus, der dann entweder bei mangelhafter Hygiene vom Menschen direkt oder aber von anderen Tieren aufgenommen wird. Im Fleisch dieser Tiere bilden sich Dauerformen, die ebenfalls ansteckungsfähig sind. Hauptansteckungsquelle für den Menschen ist rohes Schweinefleisch. Der Hund ist also wie der Mensch Opfer, nicht aber Überträger der Toxoplasmose.

Pilzinfektionen der Haut können auf den Menschen übergehen. Bei schlecht heilenden oder sich ausbreitenden Ekzemen muß man heute stets an Hautpilze denken und eine eingehende tierärztliche Untersuchung veranlassen. Zur Behandlung gibt es sicher wirkende Medikamente. Die Ansteckungsgefahr ist gering, wenn man die erforderliche Hygiene beachtet. Pilzinfektionen entstehen nur, wenn der Erreger länger als 24 Stunden auf der Haut bleibt und kleinste Verletzungen sein Eindringen fördern.

Räude wird durch Milben hervorgerufen, die sich zwar auf bestimmte Tierarten wie den Hund spezialisiert haben, jedoch auch beim Menschen plötzlich auftretende, juckende Hautrötungen verursachen können.
Eitererreger bei Ekzemen, Furunkeln, Vorhautentzündungen, Zahnvereiterungen oder Mandelentzündungen können auch beim Menschen Eiterungen verursachen. Betreffende Krankheiten müssen daher bei Beachtung häuslicher Allgemeinhygiene konsequent behandelt werden.
Auch bestimmte *Darmbakterien* wie Salmonellen können beim Menschen wie beim Hund zu Durchfällen führen. Bei länger dauernden, trotz gezielter Behandlung nicht ausheilenden Durchfällen sollte eine Kotuntersuchung Aufschluß über etwa vorliegende Keime geben.
Spulwürmer sind auf bestimmte Wirte spezialisiert. Unter unhygienischen Verhältnissen vom Menschen aufgenommene Hundespulwurmeier können sich in dem für sie fremden Wirt nicht normal entwickeln. Die Wurmlarven bleiben in Organen oder Muskeln stecken und lösen Entzündungen und Schmerzen aus. Besonders gefährdet sind verständlicherweise Kleinkinder. Das Risiko wird durch regelmäßige Wurmkuren bei Junghunden und durch Hygienemaßnahmen erheblich eingeschränkt. Von den *Bandwürmern* ist nur der bei uns äußerst seltene »dreigliedrige« für den Menschen gefährlich. Wenn der Stuhl von Zeit zu Zeit wie mit Grieß bestreut aussieht, ist Vorsicht geboten. Kotuntersuchung und Behandlungsversuch sollten umgehend veranlaßt werden.
Zur mehrfach angesprochenen *Allgemeinhygiene* gehören eigenes, sauberes Hundelager, gesonderte Freßnäpfe, Verhindern des Ableckens von Händen und Gesicht, gegebenenfalls Händewaschen, Beseitigung von Hundekot und kein Mißbrauch von Kinderspielplätzen als Hundeabort. Zusätzliche Sicherheit gewährt eine regelmäßige *Desinfektion* von Lager, Hütte und anderen hygienegefährdeten Stellen. Zumindest in den genannten Verdachts- und Erkrankungsfällen sollte auf diese Sicherheit nicht verzichtet werden. Die Mittel sollen Virusarten, Bakterien und Pilze abtöten. Bei Infektionsgefahr durch Eitererreger oder Pilze bietet ein Händedesinfektionsmittel zusätzlichen Schutz. Gegen die dickschaligen Wurmeier wirken nur wenige, speziell für die Nutztierhaltung entwickelte Mittel, die durch besondere Zusätze die Schalen auflösen. Wo solche Mittel nicht zur Verfügung stehen, kann eine Scheuerdesinfektion mit heißer Sodalösung durchgeführt werden. Gegen Ektoparasiten müssen spezielle Insektenvertilgungsmittel eingesetzt werden. Jeder

Bergtouren, für uns ein Hochgenuß!

Desinfektion muß eine gründliche Reinigung vorausgehen. Durch Vorbeuge und Vorsicht lassen sich also Gefahren abwenden: »Gefahr erkannt — Gefahr gebannt!« Damit können wir ungetrübte Freude genießen, die der Bobtail uns vermittelt.

Wichtige Anschriften

Deutschland

Club für Britische Hirtenhunde e.V.
Präsident Willi Scheller, Neckarstraße 1, 6148 Heppenheim/Bergstraße.
Willi Römpert, Hockenheimer Straße 76, 6831 Reilingen/Baden (Zuchtbuchstelle).
Verband für das Deutsche Hundewesen e.V., Mallinckrodtstraße 26, 4600 Dortmund 1.
Verlag für Hundefreunde, Ostwall 212, Postfach 605, 4150 Krefeld.

Schweiz

Club für Ausländische Hirtenhunde
Präsident Emil Martin, Aadorfer Straße 29, 9545 Wängi.

Österreich

Österreichischer Kynologenverband, Karl-Schweighofer-Gasse 3, Wien.

Einen Dank

möchte ich allen denen zukommen lassen, die mir in selbstloser Weise geholfen und mich ermutigt haben, dieses Buch zu realisieren und zu schreiben. Vor allem meinem Mann, der für mein Hobby, die Bobtailzucht, so viel Verständnis aufbringt, Frau Gretel Steinfeld für das geduldige Entziffern meiner »Hieroglyphenschrift« beim Abschreiben des Manuskriptes, und nicht zuletzt allen denen, die zur besseren Anschauung und Verschönerung des Buches Bilder zur Verfügung stellten.

Allen Freunden des Bobtails möchte ich abschließend die folgenden Verse von Eugen Ledebur mit auf den Weg geben:

Nicht ist dieses Buch für die gemacht,
die klug erwägen mit Bedacht,
ob diese oder jene Rasse
zu ihrer Toilette passe;
auch nicht für solche, die erklären,
daß sie zwar Hundefreunde wären,
jedoch: ein Hund gehört hinaus
in Stall und Hof — nur nicht ins Haus!
Doch ist's auch nicht für den verfaßt,
der Hunde liebt und Menschen haßt,
denn jeder Mensch ist doch, im Grund
genommen, auch ein armer Hund.

Literaturverzeichnis

Hans Räber	Brevier neuzeitlicher Hundezucht Paul Haupt Verlag, Bern/Stuttgart
Ann Davis	The Old English Sheepdog Popular Dogs Publishing Co. Ltd., London W 1
Jean Gould	All about the Old English Sheepdog Pelham Books Ltd., London W. C. 1
Eugen Ledebur	Heitere Hundekunde Manutiuspresse Kommissionsverlag Robert Mohr, Wien
Knaur/Ruperti	Schöne Hunde

Bildnachweis

Titelbild: Dieter Stoll, 7000 Stuttgart 75
(Der Rüde ist Internationaler Champion und Weltsieger 1979, Bern, Argos von Donaro)
Seiten 9, 49, 61, 64, 67, 69, 75, 88 Daniel I. Zinniker, CH-2533 Evilard
Seite 13 Conrad Schulthess, CH-3007 Bern
Seiten 13, 20, 34, 51, 79, 91 Dr. Ernst Ziegler, 6149 Rimbach/Odw.
Seiten 15, 16, 17, 18, 36, 43 Popular Dogs Publishing Co. Ltd, London W. C. 1
Seite 21 Hans-Jürgen Pohl, 6702 Bad Dürkheim
Seite 27 Dr. Ernst Rohde, 6000 Frankfurt/Main
Seiten 31, 55 Jürgen Gödecke, 5400 Koblenz-Karthause
Seiten 37, 44 Karin Stramm, 7707 Engen/Hegau
Seite 42 Artur Jucker, CH-8121 Benglen
Seiten 57, 82 Dieter Stoll, 7000 Stuttgart 75
Seite 79 Gabriele Stein, 8000 München 48
Seite 85 Bacillolfabrik Dr. Bode & Co., 2000 Hamburg